Jean-Philippe Baril Guérard

# ROYAL

Roman

**LES ÉDITIONS DE TA MÈRE**

Conception graphique : Benoit Tardif
Révision linguistique : Maude Nepveu-Villeneuve
Direction littéraire : Maxime Raymond
Infographie : Rachel Sansregret


Bibliothèque et Archives nationales du Québec - 2016
Bibliothèque et Archives du Canada - 2016
ISBN (papier) - 978-2-924670-03-3
ISBN (EPUB) - 978-2-924670-06-4

www.tamere.org

*Nous remercions le Conseil des arts du Canada de son soutien. L'an dernier, le Conseil a investi 153 millions de dollars pour mettre de l'art dans la vie des Canadiennes et des Canadiens de tout le pays.*

*We acknowledge the support of the Canada Council for the Arts, which last year invested $153 million to bring the arts to Canadians throughout the country.*

- Si vous êtes ici, c'est que vous appartenez déjà à l'élite de notre société.

Suffit d'un regard sur l'amphithéâtre pour faire mentir le doyen : vous êtes presque deux cents, ici. En ce moment même, il y a probablement deux cents jeunes personnes à McGill qui se font dire la même chose, mais en anglais. Peut-être une centaine à ULaval, aussi, qui se le font dire avec des fausses diphtongues prononcées. Ça fait cinq cents, sans compter ceux de Sherbrooke, qui ne font certainement pas partie de l'élite, mais qui étudient quand même le droit, et l'UQAM, qui offre une excellente formation préuniversitaire. On va pas se conter de pipes : l'élite de la société, dans la tranche d'âge des dix-huit à vingt-cinq ans, ça se compte pas par centaines; il doit nécessairement y avoir de l'ivraie, ici.

Deux cents jeunes gens, pour la plupart en bas de vingt-cinq ans. Un petit réaménagement, de l'éclairage et de la musique, et ça pourrait être un nightclub, d'autant que l'atmosphère, en ce moment, est tendue : les jeunes personnes ont toutes le souffle court, scrutent leurs congénères avec attention, essaient de cerner, de comprendre, de s'imposer. Comme lorsqu'ils veulent s'accoupler. Mais ils sont venus ici pour s'entretuer.

C'est l'infini moment de silence avant de lancer le cri de guerre. La suspension avant le *fight or flight response*.

Tous les membres du décanat, assis derrière le doyen et son lutrin, opinent de la tête, avec un sourire solennel et satisfait, l'air de se dire *oui, l'élite, nous formons l'élite, nous sommes donc au sommet de l'élite*, cependant que les deux représentants de l'asso, l'actuel président et son successeur, se mordent les joues pour ne pas laisser transparaître leur immense fierté d'enfant d'être en haut de la chaîne alimentaire. Le sont-ils? Est-ce que les responsabilités de l'association étudiante leur laissent assez de temps pour s'investir dans la course au stage, obtenir des notes passables dans le contexte, c'est-à-dire les meilleures notes? Tu voudrais certainement pas tenter l'expérience toi-même. S'ils réussissent, ils méritent toute ton admiration. Sinon, plus grande sera leur chute, et t'auras aucune sympathie pour eux.

*L'élite de notre société.*

- Vous avez réussi à traverser le processus de sélection rigoureux que nous imposons à nos futurs étudiants parce que vous avez fait preuve d'un grand potentiel intellectuel…

Une cote R de trente-deux, n'importe quel idiot qui écoute dans ses cours peut obtenir ça, s'il va pas dans un cégep de pauvres.

- … d'une grande habileté sociale…

Comment savoir? On passe même pas d'entrevue pour entrer ici, contrairement à McGill.

- ... et de la rigueur morale nécessaire à la pratique du droit.

C'est-à-dire que personne ici n'a de dossier criminel. Encore là, pas très difficile : sois blanc et tais-toi, tu devrais t'en tirer correctement.

- Cependant, sachez que les efforts que vous a demandés l'admission au baccalauréat en droit étaient infimes devant ce qui vous attend. Votre formation sera parsemée d'embûches et vous demandera énormément de sacrifices : c'est le prix à payer pour recevoir l'une des formations les plus prestigieuses...

Prestigieuse. Qu'il se calme les nerfs, le papi. On n'est pas à Harvard.

- ... et complètes...

McGill, eux, font leur common law. Ça, c'est une formation complète. Pas ici. T'en as rien à chier, de la common law, alors ça te va, mais qu'il prétende pas qu'elle est « complète », sa formation.

- ... au pays.

Au sens de Canada, ce qui est faux, ou au sens où il est un vieux souverainiste qui utilise encore le mot « pays » pour parler du Québec?

- Au terme de votre formation, vous pourrez toutefois vous enorgueillir d'appartenir à une famille de diplômés qui ont été des vecteurs de changement majeurs dans la société québécoise, et du fait que votre parcours s'inscrit dans une histoire qui date de plus d'un siècle. Vous serez plus qu'outillés afin de vous orienter vers les domaines du droit qui vous intéressent; et notre arrimage avec le marché du travail fera en sorte qu'un maximum de nos étudiants sera placé à la fin du parcours. Ceux qui comptent participer à la course au stage…

Comme toi, par exemple.

- … pourront assister à des activités de réseautage presque hebdomadaires afin de se faire connaître des différents cabinets qui viennent rencontrer les étudiants de la faculté de droit de l'Université de Montréal en sachant que nous cultivons l'excellence, de l'admission à la diplomation.

Voilà la vraie raison de ta présence ici.

- Mais sachez aussi que, malgré toutes vos bonnes intentions, il se peut très bien que votre parcours académique ne se passe pas aussi bien que prévu.

Les membres du décanat qui se replacent sur leur siège. Un toussotement qui résonne dans le plafond sans fin de l'amphithéâtre. La voix du doyen s'est assombrie. Oracle sur le point d'annoncer un destin sombre.

- Regardez autour de vous.

Tu étais resté dans ta bulle jusqu'ici, œillères fermées. C'était plus sûr. Ne pas tenter d'établir de contact, peut-être simplement appréhender les dangers, du coin de l'œil, en vision périphérique. Garder les yeux focus, sur le chemin à parcourir.

Mais puisqu'il le faut. Tu inspires, tentes d'expirer lentement. Tu es haletant comme au sortir d'une traque. Tu lèves les yeux vers la salle.

Tu reconnais au moins deux gars et deux filles de Brébeuf, dans les quelques rangées autour de toi, et t'es certain qu'il y en a pas mal d'autres. Quelques visages de Stanislas, aussi, qui ont maturé depuis le temps où tu les as vus. Des gars contre qui tu as joué au volley, également, de Jean-Eudes, de Durocher.

Le code vestimentaire est pas exactement clair. Il y a de la vulgarité (la chaleur est arrivée tôt cette année, un gars que tu replaces comme étant de Jean-Eudes a cru bon de venir en gougounes et en shorts), des bonnes intentions mal exécutées (chemise fripée, lunettes mal choisies), de l'excès de zèle (quelques mongols se sont suit up). T'as opté pour un pantalon gris assez neutre de chez Club Monaco que Maman t'a donné Noël dernier et un polo blanc Fred Perry. Ne pas trop attirer l'attention. Tu regardes rapidement, à tes pieds, le sac qu'on t'a donné à l'entrée et qui contient le merch aux couleurs de la faculté de droit : des blocs-notes, un stylo, un dossier. Quelques cabinets d'avocats ont gracieusement ajouté quelques items commandités à l'offre, pour donner le coup d'envoi à leur opération de propagande.

Ils vendent des t-shirts, des survêtements aux couleurs de la faculté, à la coop, aussi. Est-ce le genre de choses qu'il est bon de porter, pour afficher l'appartenance à sa caste, ou est-ce que c'est pauvre? Faudra attendre de saisir les codes, puis décider. Ne pas prendre de décision hâtive.

- Vous avez une personne sur votre gauche et une personne sur votre droite, en ce moment.

Sur ta gauche, un Black immense, deux cent cinquante livres, si c'est pas plus, les bras gros comme tes cuisses, qui porte un survêtement de l'équipe de foot de Grasset et des anneaux d'or aux oreilles. Sur ta droite, un long fouet de six pieds deux environ, qui flotte dans de la guenille Frank and Oak de la tête aux pieds, avec des lunettes Prada qui doivent dater d'il y a deux ans au moins.

- Une de ces deux personnes ne finira pas son baccalauréat.

Un sourire te fend le visage.

- Mesdames, messieurs, au nom de tout le décanat, je vous souhaite un été reposant, ainsi qu'un excellent début de semestre à votre entrée dans nos murs cet automne. On se revoit dans trois mois.

Et puisse le sort vous être favorable, petits barbares.

- J'ai quarante-cinq minutes, top chrono.

La Tissot de ton grand-père, que Papa t'a donnée quand t'as été admis au bacc, au printemps, t'indique que ça fait au moins vingt-cinq minutes que Cousin Fred te fait poireauter, mais t'es pas en position de le lui reprocher : son temps est plus précieux que le tien. Le tien, un jour, vaudra cher lui aussi, alors tu te fermes la gueule et tu sirotes ton Pimm's Cup en restant calme. Il s'installe sur un tabouret à côté de toi, au bar. D'un coup de poignet, il fait s'allumer l'écran de sa Apple Watch Sport, avec le bracelet en fluoroélastomère noir. Elle donne vingt heures seize. C'est pas le modèle plaqué or de Hermes, mais elle est jolie.

- Quarante-quatre, en fait.

Il a vu tes yeux se plisser, ton regard s'arrêter sur le bout de sa manchette.

- C'est beau, non?

Il te montre son poignet.

- Cadeau de signature, chez Alberti Johnson. Ça, le Montblanc utilisé pour signer le contrat, pis une couple d'autres affaires. C'est un peu plus vulgaire que ta Tissot, mais c'est franchement pas pire.

Il se tourne vers le barman.

- Un vodka Red Bull, s'il vous plaît. Pis de l'eau.
- Pétillante ou municipale?
- Pétillante.

Il se retourne vers toi.

- J'ai fini plus tard que prévu, évidemment, pis là faut que j'aille représenter le bureau dans un truc bénéfice pour la fibrose kystique. Je suis déjà en retard, en plus. Y a un avocat qui est rentré dans le bureau à quatre heures et demie et qui m'a demandé de lui préparer une conférence pour demain matin, huit heures. Je vais être obligé de dormir au bureau, je pense.

Il enserre ton avant-bras avec sa main et te serre fort. T'as un mouvement de recul.

- Man, t'as pris de la masse depuis la dernière fois que je t'ai vu.

Tu serres le poing. Ton avant-bras gonfle. Tes veines saillent.

- CrossFit, squash, tu dis.
- Good. T'es où?

- L'Écurie, pour le CrossFit. Je me promène, pour le squash.
- Tu devrais aller au Atwater Club. Y'ont du CrossFit pis des terrains de squash, en plus.
- Je pensais aller au Midtown.
- Ça se peut aussi. C'est plus proche de chez vous pis de l'université. Mais y a vraiment beaucoup d'avocats qui s'entraînent au Atwater Club, pis c'est plus petit, plus intime. Y a au moins trois associés d'Alberti Johnson qui sont là. Y a une belle salle pour relaxer slash étudier, aussi. Ils ont un spécial étudiant, en plus, c'est juste cinquante par mois. T'es toujours avec Aurélie?
- Yeah, toujours.
- Aurélie est vraiment chaude.
- Elle entre en médecine cet automne.
- UdeM?
- UdeM.

Le serveur s'approche derrière vous, prend votre commande.

- Ça me prendrait quelque chose de léger, Cousin Fred dit. J'ai pas le goût de me stuffer la face.

Le menu est effectivement assez viandeux, ici, et d'inspiration taverne anglaise, donc en teintes de brun. Idéal en hiver, cauchemardesque en canicule, surtout quand t'essaies de conserver un minimum ton beach bod.

- Salade de canard, le serveur dit.
- Moi aussi, tu dis.

- Quand j'ai des événements pis qu'y faut que je travaille en plus, moins je mange, mieux c'est, Cousin Fred dit. Ton père va bien? Me semble que ça fait mille ans que je l'ai pas vu.

Cousin Fred est pas ton cousin mais a été tout comme pendant les quinze premières années de vos vies, comme vos pères étaient meilleurs amis. Vous vous voyez pas mal moins depuis que vous êtes assez vieux pour que vos pères soient pas obligés de vous traîner partout, mais le voir est réconfortant.

- Toujours à Sacré-Cœur, tu dis. Là, son truc, depuis deux ans, c'est le vélo de montagne. Je sais pas combien de temps ça va durer. J'ai commencé à en faire avec lui.

Cousin Fred a grandi un peu, depuis la dernière fois que tu l'as vu. Il s'est élargi aussi, comme toi. Vous grandissez, élargissez au même rythme. On vous prenait pour de vrais cousins, quand vous étiez petits : vos traits se ressemblent, Cousin Fred en version blond et bouclé, toi en version noir et raide. Le Petit Prince et le prince des ténèbres, on disait de vous à l'époque.

Son complet est pas mal. Gris très foncé, presque noir. La laine a juste la bonne densité, elle est pas trop luisante, non plus. Il lit dans tes pensées :

- Tiger of Sweden.
- Je pensais que c'était du sur-mesure.
- Leurs coupes sont vraiment parfaites. Mais la cravate, c'est Louis Vuitton, par exemple.

Il te montre le logo inscrit discrètement sur la pointe : broderie noire sur soie noire. Il regarde sa Apple Watch à nouveau.

- Faque… un peu plus de deux semaines pis c'est la rentrée, hein.
- Oui.

T'arrives pas à te retenir de sourire.

- Tu dois être énervé.
- Oui.
- Tes choix de cours sont faits?
- Oui.
- Quelle section?
- A, tu dis.
- Bon élève.
- Pourquoi tu dis ça?
- T'attendais patiemment devant ton ordinateur l'ouverture de la période de choix de cours pour être dans les premiers, pis t'as choisi la section A parce que c'était la première sur la liste. Je me trompe?
- C'est exactement ça.

Il lève son verre.

- J'étais section A, moi aussi.

Cheers. Vos verres se choquent. Tu cales le restant de ton Pimm's Cup.

- Tu étais? tu demandes.

- Les sections foutent le camp dès la deuxième année. Tellement de monde qui lâche, la première année. Faque là, t'es sérieux? Mon père m'a dit que tu voulais faire la course au stage.

L'entente de recrutement, ou course au stage, c'est une façon polie de nommer le carnage qui attend les étudiants en droit au milieu de leur formation.

- C'est à peu près la seule raison pour laquelle je suis entré en droit, tu dis. Je me tape certainement pas ça pour me ramasser à l'aide juridique.

Cousin Fred rit.

- Fuck non, man. Si tu commences en bas de quatre-vingts, cent mille par année, je trouve qu'avec ce que ça coûte d'efforts pis de maladie mentale, t'as crissement pas rentabilisé ton bacc. Je comprends pas comment le monde arrive à se satisfaire de moins, dans' vie.

Vos assiettes apparaissent sous vos yeux. Tu te retournes vers le serveur pour commander une bière. En voyant le vodka Red Bull de Cousin Fred, t'as un moment d'hésitation, tu laisses tomber : trop de calories, la bière.

- C'est bon de penser long terme, d'avoir déjà un objectif en partant. Aller à une couple de quatre à sept pendant ta première session, ça peut pas nuire. Faut semer des graines. Évidemment, faut que tu viennes aux quatre à sept d'Alberti Johnson, je te présenterai aux associés.

Mais si tu veux une entrevue, je te dirais que ça va te prendre un GPA de 3,2 ou 3,3 au minimum. Faque oui, fais du social, c'est super important. Mais perds pas de vue que le plus important, dans tes trois premières sessions, ça va être d'avoir le meilleur relevé de notes possible. Pis je sais que tout le monde te dit ça, pis que je t'apprends rien, mais tout le monde va travailler comme des malades. T'es pus à Brébeuf, là. Va vraiment falloir que tu te battes pour avoir une bonne moyenne. Les notes sont normalisées, on appelle ça la *courbe*. Être bon, ça suffit plus. Faut être le meilleur.

- Pis après…
- En deuxième année c'est là qu'y faut que t'exploses. Cette année, je te jure, j'ai passé plus de temps à boire du vin avec des avocats qu'à étudier. Mon relevé de notes de la quatrième session est dégueulasse. Mais…

Cousin Fred accroche le bras du serveur, lui signale qu'il veut sa facture.

- … J'ai signé chez Alberti Johnson, j'ai une job pour l'été, il me reste juste deux sessions, je vais avoir un stage au Barreau, je vais être payé pour faire mon Barreau pis mes frais de Barreau vont être payés. Pis si tout va bien, j'ai peut-être une job qui m'attend dans un des plus gros cabinets de Montréal. Faque who cares, hein?

Le sourire de Cousin Fred est gigantesque, blanc, et impeccablement régulier. Il avait des dents de requin, quand il était petit. Sa mère est dentiste.

- Tu penses que c'est faisable de continuer le volleyball? tu demandes.

Il éclate de rire.

- Fuck non, man. Faut que tu concentres tes énergies.
- Aurélie entre en med pis elle compte faire les Carabins en volley.
- Med c'est une autre game. C'est ben plus difficile d'entrer en med que de faire med. En droit, c'est dans le bacc que l'écrémage se fait, pas avant. Tu fais du bénévolat?
- Ouais, je dévoue tout mon temps libre à torcher des culs de vieux dans des CHSLD.
- C'était pas une blague.

Tu te ressaisis, mal à l'aise. Cousin Fred t'a jamais semblé être le genre de gars qui se la jouerait Mère Teresa.

- Faudrait commencer ça pendant ta première année.
- Aller torcher des culs de vieux dans des CHSLD?
- Mais non, quelque chose de ta trempe, quand même. Un C.A., un comité de financement, quelque chose comme ça. Ça peut être ce que tu veux, une compagnie de théâtre, un organisme communautaire, une association sportive. Généralement, ce qu'ils veulent, c'est quelqu'un qui connaît des gens qui ont de l'argent. Moi, j'aidais au comité de financement pour la fondation du CHU Sainte-Justine.
- T'es rentré là via ton père?

Le père de Cousin Fred est pédo-oncologue à Sainte-Justine, le tien est traumatologue à Sacré-Cœur; ils sont devenus amis à l'UdeM, à l'époque.

- T'as joué au volley longtemps, un truc sportif ça se raconterait bien pour toi, mais ça peut être n'importe quoi, dans le fond. Faire un peu de clinique juridique, aussi, ça nuirait pas. Je faisais quelques heures par semaine dans une clinique juridique de Centre-Sud. C'est complètement ghetto mais ils aiment ça, les cabinets, pis ça te fait rencontrer des avocats, de toute façon va falloir que tu donnes un pour cent de ton temps en bénévolat quand tu seras rendu en cabinet.
- Tu fais quoi en clinique juridique, au juste?
- Oh, c'est l'équivalent d'Info-Santé, mais pour le droit. Y a des pauvres qui viennent te voir, tu réponds à leurs questions, pis tu finis toujours en leur disant qu'ils vont devoir consulter un vrai avocat parce que tu peux pas les représenter. Le plus grand skill que ça demande, c'est de tolérer les odeurs corporelles.

Le serveur produit sa facture, la dépose, docile, devant Cousin Fred, dans un petit récipient en étain. Fred lance sa MasterCard World Elite sur le comptoir nonchalamment. Elle est épaisse, robuste, complètement noire; le logo de MasterCard et les inscriptions sont en chrome. Il voit que tu la fixes, encore :

- Ouais, je viens de l'avoir.

Le crachat strident de l'imprimante du terminal Interac qui se mêle aux conversations autour, au standard jazz qui émane du plafond cuivré. Il regarde sa carte un instant avant de la glisser dans son portefeuille.

- C'était comment, l'Islande? il demande. Je voulais repartir en voyage avant le début des cours, mais va falloir attendre à Noël. Peut-être l'été prochain. Faudra voir.

Il se lève de son tabouret, accroche son reflet dans le miroir derrière le bar, replace son nœud de cravate bien au milieu de son col.

- Fais attention, quand même, il conclut en tapotant la table.
- À?
- À tout le monde. La compétition, ça peut transformer le monde en monstre.

Pour pratiquer le droit, au Québec, il faut, comme tout le monde le sait, se farcir le crâne de mille conneries que tout le monde oubliera en deux semaines et les vomir à l'examen du Barreau; il y a toujours un petit écrémage des idiots qui s'opère là, mais n'importe quel deux de pique qui est capable de prendre des smart drugs pourra très bien s'en sortir.

Le réel facteur déterminant, c'est le stage : pour passer son Barreau, il faut avoir réalisé un stage de six mois en milieu professionnel. Seulement, il y a entre six et sept cents étudiants qui veulent passer leur Barreau chaque année, et certainement pas autant de places de stage, et ces stages ne sont certainement pas créés égaux. La plupart du temps (malheureusement, t'as pas de statistiques pour appuyer tes dires, qu'un savoir intuitif issu des Arcanes du Droit), ce stage sera déterminant pour l'avenir professionnel de l'étudiant : décroche un stage à la Couronne et t'as pas mal de chances de devenir procureur (autant mourir dévoré par des rats, en ce qui te concerne), décroche un stage dans le communautaire et tu risques de vivre dans la pauvreté et peut-être de finir candidat pour Québec solidaire. Décroche un stage (grassement payé, avec mille bénéfices associés) dans un grand cabinet, et tu cours la chance d'avoir un poste en droit des affaires à cent mille dès que t'as ton Barreau. Si t'es intelligent. Si t'es bon. Si tu travailles fort et que tu prouves que t'es mieux que tous les autres.

Seulement, des stages en grands cabinets, y en a tout juste trente-cinq, peut-être quarante par année. Pour environ quatre cents, cinq cents personnes qui décident de se lancer dans la course au stage. Le terme « course » est peut-être inapproprié, ici : il s'agit plutôt d'un battle royale.

Un battle royale aussi sauvage que codifié, avec des règles à respecter et un modus operandi rigide. Il a fallu mettre des règles parce qu'à une époque, c'était le bordel, la course au stage, il paraît : des étudiants de bonne réputation se faisaient ramasser en limo à la sortie de leurs cours; d'autres, trop motivés, harcelaient les cabinets pour obtenir une entrevue; ça créait des frictions malsaines, il y avait surenchère, tout le monde voulait commencer plus tôt, et plus fort, tellement qu'au bout du compte, tout le monde finissait par se foutre complètement de ses études et passait l'année entière à simplement essayer d'obtenir un stage. Les assos étudiantes, les universités et les cabinets se sont entendus sur des règles très claires, avec des dates butoirs précises, coulées dans le béton. Et comme ça a été rédigé par des avocats, évidemment, c'est d'une précision cauchemardesque. Là où y a de l'avocat, y a de l'avocaterie : la loi existe pour encadrer la sauvagerie humaine, pas l'éliminer.

En février de la deuxième année du bacc, les cabinets souscrivant à l'entente de recrutement (disponible intégralement en PDF sur le site de l'université, l'entente expose toutes les conditions dans les moindres détails, comme seuls les avocats savent le faire) recevront toutes les candidatures étudiantes pendant dix jours, très exactement, à la minute près, sur un portail web conçu à cet effet (du 1er au 10 février, dans un an et demi, dans ton cas); aucune entrevue ne devra avoir lieu avant une date tombant généralement un mois plus tard, vers la deuxième semaine de mars (le 7 mars, dans ton cas); aucune offre de stage ne devra être formulée avant une date précise, généralement deux semaines plus tard, à huit heures du matin, précisément (le 23 mars, à huit heures, dans ton cas); ladite offre devra rester valide entre huit heures et dix-sept heures ce même jour; toute question hypothétique visant à connaître la réponse d'un étudiant à une offre de stage avant la date de l'offre sera formellement interdite; et toute indication directe ou indirecte qu'un étudiant recevra une offre formelle à la date entendue sera également interdite.

Et ça, c'est résumé vulgairement. Faudrait pas t'en plaindre : si tu veux être avocat, c'est que tu veux que ta vie soit articulée autour de l'interprétation, souvent maligne, du diable dans les détails. Le triomphe de la bureaucratie sur la dignité humaine.

T'as jamais été fan de dignité humaine de toute façon.

Le plus difficile de la rentrée, c'est l'initiation.

Pendant que vous vous adaptez à votre nouvel environnement (nouvel établissement pour toi, nouvelle ville et début de vie en appartement pour les moins chanceux), que vous tentez de pisser sur les bons coins du pavillon de droit pour marquer votre territoire, et que vous vous farcissez chaque jour le cours intensif d'Introduction au droit, de huit heures trente à seize heures, chacune des cinq soirées de votre première semaine d'université est remplie d'activités cruelles destinées à vous faire chier et à vous faire souffrir, mais surtout, à vous apprendre à vous liguer les uns avec les autres, et les uns contre les autres : pour les activités, vous êtes groupés par sections, dont l'une sera couronnée gagnante vendredi. Les A sont donc tes frères d'armes, pour le moment. Seulement, c'est contre eux que seront mesurées tes notes : dès le début de la semaine prochaine, ils deviennent tes rivaux, à cause de la *courbe* qui vous séparera, quand viendra la fin de session.

À terme, vous vous planterez des couteaux dans le dos. Tous les êtres humains sont décevants : il faut seulement leur laisser le temps.

L'initiation est par ailleurs utile pour les troisième et les deuxième qui ont envie d'user de leur position plus élevée dans la hiérarchie pour se ramener une petite première bien fraîche, t'as remarqué. Des animaux.

C'est le quatrième soir de l'initiation, donc, et vous êtes dans une brasserie un peu crado du Vieux-Montréal, un bracelet garantissant votre bar open au poignet, devant une rangée de tables sur lesquelles reposent, selon ton estimation, au moins trente pichets de bière, et une centaine de shooters variés. Les tables et les planchers sont recouverts de sacs-poubelles noirs; on vous a habillés de sacs-poubelles vous aussi. Chaque première présent doit caler un pichet de bière, puis répondre à un quiz sur l'histoire de la faculté de droit (on vous a envoyé un document à étudier, préalablement, avec vos papiers de bienvenue, gracieuseté de l'asso). Pour chaque mauvaise réponse, il doit avaler un shooter.

T'as l'intuition qu'il faut pas avoir cent pour cent ni zéro pour cent à ce quiz. Juste une intuition. Avoir l'air trop érudit, c'est jamais bon pour les relations sociales : faut être intelligent, mais pas à un point où ça te fait sortir du lot. On coupe toujours le brin d'herbe qui a poussé plus vite que les autres. Il faut être supérieur avec discrétion.

Une joyeuse façon de se faire hospitaliser pour coma éthylique. Pas exactement ta façon préférée de faire connaissance, mais c'est la *tradition*, vous répète-t-on; et tu connais la valeur des coutumes, des rites, et des codes, qui sont nécessaires pour intégrer une institution, et éventuellement y régner.

Il faut embrasser la connerie pour régner sur la connerie. La connerie, ce soir, a pris une forme liquide, et très généreuse.

Le Black qui était assis à ta gauche à la soirée d'orientation, en mai, a troqué son survêt de l'équipe de foot de Grasset pour celui des Carabins, qui recouvre le t-shirt bleu indiquant son appartenance à la section A. Il a beau avoir une shape titanesque, il a traversé l'initiation de l'équipe de football, la semaine dernière, et son foie est sur le bord de rendre l'âme. Il a réussi à boire quatre shooters avant de renvoyer par la fenêtre, directement sur des touristes japonais déambulant sur Saint-Paul. Ça lui a valu une ovation.

Quelque chose en lui te fait profondément chier. Pourquoi, comment est-ce que ce gars peut jouer pour les Carabins et faire le bacc en droit? Il fera pas la course au stage. Il peut pas faire la course au stage : Cousin Fred l'a dit, ce serait impensable de faire les deux. Il t'a bien dit de pas faire les deux. Ce serait un échec de pas réussir les deux. Mais si le gros Black réussissait les deux, ce serait une claque sur la gueule d'autant plus violente.

Le grand fouet qui était assis à ta droite, à la soirée d'orientation, section A lui aussi, avait déjà du mal à aligner deux mots au début du quiz. Après avoir répondu incorrectement aux cinq premières questions, il a simplement lâché un « fuck off » et avalé les cinq autres shooters, ne prenant même pas la peine de répondre. On l'a ovationné, lui aussi : échouer avec panache est une façon de triompher, ce soir.

Une autre A, blondasse assez belle, provinciale sportive avec un léger accent de demeurée, dont le compte Instagram n'est que wakeboard, retraite de yoga, snowboard et triathlon (tu l'as stalkée, évidemment, t'as stalké tout le monde, faut profiler tous ces gens, évaluer la menace qu'ils posent), a fait chier tout le monde en refusant de se prêter au jeu (*je bois presque jamais*, elle a dit), et puis a finalement tellement bien réussi le questionnaire qu'elle a pas eu à boire un seul shooter; pire façon de se sortir de la situation, penses-tu : on déteste les premiers de classe, même si on veut être premier de classe; on déteste ceux qui ne boivent pas, même si on déteste boire.

Ça fait beaucoup d'alcool, tout ça. Ça doit certainement représenter une bonne partie du budget annuel de l'asso. C'est ce qu'on appelle avoir les priorités à la bonne place. Le genre de chose qui risquerait de mettre le feu au cul de la petite fille de syndicaliste obsédée par la justice sociale, une A elle aussi, qui vient de se liquéfier en une flaque de vomi au milieu du bar. Quand tu lui as parlé, lundi, pendant la pause du cours d'Introduction, l'une des premières choses qu'elle a dites, presque avec fierté, c'est qu'elle faisait pas la course au stage. Comme si c'était une honteuse maladie vénérienne, ou le côté obscur de la Force, à éviter à tout prix. Cette manie qu'ont les herbivores de dévaluer la réussite, afin de se conforter dans leur médiocrité. Dommage, d'autant plus

qu'elle a l'œil relativement intelligent, la petite syndicaliste. Pas mal plus que bien des gens ici, le Carabin le
premier. Ou enfin, elle l'avait, avant de régurgiter sur ses
souliers, et sur le plancher.

Ton tour vient. Un deuxième te tend un pichet, que tu
cales maladroitement : t'avais pas fait ça depuis secondaire trois, caler, et ça te paraît soudainement très pué-
ril. Un filet de bière ruisselle le long de tes joues, jusque
dans ton cou. Ton haut-le-cœur n'apparaît que sur les
quelques derniers va-et-vient de ton œsophage. Tu t'essuies le visage avec ton poignet, t'essaies de calmer ta
respiration. Tu salives abondamment.

- En quelle année a été fondée la faculté de droit de
l'Université de Montréal?
- 1878, tu réponds en éructant violemment.

Hilarité et applaudissements.

- En quelle année la faculté s'est-elle installée dans le
pavillon Maximilien-Caron?
- 1968, tu dis.

Le deuxième sourit.

- Pas pire, pas pire. Qui ont été les cinq premiers doyens
de la faculté de droit?
- Fuck, man...

Le bar a commencé à tourner.

- Horace Archambault, tu tentes.

T'essaies de revoir les noms, sur la feuille que t'as étudiée.

- Michel Mathieu.

Les deuxième font oui de la tête.

- Louis-Amable, euh... Jetté?

Tu tangues. T'es tenté de t'arrêter à presque chaque syllabe, pour te stabiliser.

- Pierre. Joseph. Olivier. Chauveau…

Un long temps. T'es pas mal certain de te rappeler le dernier, mais tu sais même plus prononcer son nom.

- Okay, c'est trop long! Shooter!

La brûlure du Jack Daniel's. Ton estomac qui ballotte, rempli de liquide. T'arrives à te rendre au bout du quiz avec sept sur dix : score honorable, qui te vaut quelques félicitations, et un shooter de plus.

T'as pas encore vomi quand Aurélie vient te chercher avec ta Wrangler, vers deux heures trente. Tu vois un deuxième la fixer, quand elle entre dans le bar. T'aimes pas trop démontrer de l'affection en public, mais t'es chaud noir et t'as envie de défendre ton territoire, et surtout de montrer que cette belle fille qui vient d'entrer, la plus belle dans toute la place, est à toi, alors dès qu'elle est à portée, tu l'attires vers toi, tu la tiens fermement par le cul et tu l'embrasses à pleine bouche. Ça te fait sourire.

- Putain, c'est vraiment le Vietnam, ici, elle dit.

L'accent faussement français d'Aurélie (père diplomate, collège Stanislas), toujours réconfortant.

- Fuck oui, tu dis.
- Tu pues l'alcool, toi.
- Tu m'aimes quand même?

Elle t'embrasse encore, en faisant mine de se boucher le nez.

- Allez, on rentre.

Elle t'attrape le bras et te traîne hors du bar. En sortant, tu plantes tes yeux dans ceux du deuxième qui l'a matée, souriant : *c'est ma chicks, la mienne, à moi*, tu lui dirais, si tu pouvais parler convenablement. Aurélie est amusée, plus qu'irritée : elle comprend le contexte. Elle a ses initiations de med, la semaine prochaine, de toute façon : ce sera probablement pareil. C'est toi qui iras la chercher, pour t'assurer qu'elle tombe pas dans les griffes d'un futur anesthésiste qui attendrait, tapi dans l'ombre, pour lui sauter dessus, et elle te brandira comme tu la brandis ce soir : vous êtes des trophées l'un pour l'autre.

- La faculté de droit de l'Université de Montréal est le dépotoir de l'humanité.

Cousin Fred dit ça en détaillant du regard un gars de ta section, qui porte un nom vaguement italien, et dont tu sais qu'il fait la route depuis chez ses parents dans le West Island pour venir à ses cours. Il porte un suit lustré un peu ridicule, qui semble camoufler assez mal une bedaine naissante assortie à des jambes malingres et à des biceps surdéveloppés : mauvais équilibre. Sa barbe est taillée trop haut, presque à la mâchoire; il a l'air d'avoir déversé un deux litres de gel sur ses cheveux de guido vulgaire. Accoutré pour sortir sur Saint-Laurent, pas pour un quatre à sept. Il parle à un associé de Barrington avec des étoiles dans les yeux. Candeur de l'idiot.

La faculté de droit de l'Université de Montréal est le dépotoir de l'humanité, et vous en êtes les déchets cardinaux.

L'ambiance est tendue, dans le café de droit, les sourires, crispés : tu te sens comme si t'étais au mariage d'un collègue que t'aimes pas particulièrement, ou à une danse dans le gymnase en sixième année, à ce moment où on se demande comment les garçons peuvent bien inviter à danser des filles qui, à cet âge, les dépassent d'une bonne tête et ont déjà la poitrine pleinement développée. C'est le premier quatre à sept thématique de l'année (*droit des affaires*, indique le tableau commandité par Dascal Mackenzie), même si les thématiques changent pas grand-chose à l'assistance : tant qu'il y a des gros cabinets, les étudiants seront là pour téter.

Les cabinets se la pètent en apportant des vins d'importation privée plus rares et plus coûteux les uns que les autres; pour l'occasion, Alberti Johnson, Skarsgard Morgan, Dascal Mackenzie, Roy Burns, Guérin Lapierre, Barrington et Lalime sont représentés et se livrent un combat implicite pour savoir qui pourvoira le mieux la soirée. Le café lui-même est le théâtre d'une guerre de visibilité : deux micro-ondes portent la marque de Skarsgard Morgan, un de Roy Burns; Guérin Lapierre ont inscrit leur nom sur une table de baby-foot; Alberti Johnson ont payé un sofa et Barrington, un ensemble de vaisselle et un système de son. Ça a l'effet secondaire appréciable de faire du café de droit l'un des endroits les mieux meublés de l'université.

Les deuxième (et les quelques troisième attardés) qui font la course au stage ont sorti leurs plus beaux habits (autant qu'ils le peuvent, ce qui donne des résultats parfois amusants à observer : voir l'Italien du West Island). Quelques première curieux, comme toi, observez en retrait. Cousin Fred et un autre de sa promo qui a été recruté par Dascal Mackenzie composent les seuls troisième présents, si on oublie les cas désespérés qui ont manqué le bateau en deuxième, et qui espèrent (naïvement, selon Cousin Fred) pouvoir trouver une place en faisant la course en troisième.

Cousin Fred brille, comme entouré d'une aura. On lui fait des sourires timides, on le pointe discrètement, parfois on chuchote quand il passe : c'est l'un des Élus, il doit détenir la clé ouvrant les portes des grands cabinets. Il faut donc scruter ses mouvements, semblent penser les deuxième, et tenter de déceler, puis d'imiter, ce que les recruteurs ont pu trouver attirant chez lui.

Beaucoup de deuxième sont regroupés en grappes, les yeux fixés sur les associés qui sont sur place, attendant que l'un d'eux reçoive la grâce de se faire foutre la paix par un étudiant pour aussitôt s'approcher et l'entretenir, faire une blague, essayer de se faire remarquer.

Tu éprouves de la sympathie pour les recruteurs.

- Faque ces gens-là…, tu commences.
- Oui?
- Le monde qui ont la corvée de recrutement, je veux dire.
- Oui?
- Ils font soixante-dix, quatre-vingts heures par semaine au bureau, pis en plus, ils doivent venir se farcir des petits étudiants téteux qui veulent les impressionner, un mercredi soir.
- I know, man. Cauchemar.
- Cauchemar, oui.
- Pis c'est ça qui m'attend.

- T'aurais dû être procureur.

Cousin Fred éclate de rire.

- Les mauvaises décisions qu'on prend, hein.

Une belle fille typée Libanaise ou quelque chose du genre, avec un nez refait et un décolleté vulgaire s'ouvrant sur des seins défiant beaucoup trop la gravité pour être de ce monde, passe devant vous, s'arrête pour faire la bise à Cousin Fred en lui disant à peine bonjour, repart pour se chercher un nouveau verre de vin et s'incruster dans un cercle d'une dizaine de personnes entourant un associé senior de Dascal Mackenzie.

- Deuxième, Cousin Fred dit.
- Chaude, tu dis.
- Un bon exemple de mauvaise décision, elle, justement.
- C'est vrai que c'est beaucoup, les seins.
- L'ensemble, en général, c'est beaucoup.
- T'as goûté?
- Oui.
- Folle?
- Crazy. Regarde-la.

Elle rit de quelque chose raconté par un associé de Dascal Mackenzie en penchant sa tête sur le côté pour bien faire tomber ses cheveux et montrer son beau profil. Sa bouche est gigantesque, ses dents, parfaitement droites et blanches.

- Est-ce que ça marche, les boules, pour la course au stage? tu demandes.

Cousin Fred plisse les yeux, semble réfléchir intensément, en regardant la belle Libanaise.

- Je sais pas. C'est très conservateur, le droit, hein.
- Tout le monde aime les boules, pourtant.
- Limite judéo-chrétien. Les boules ça peut servir pour une adjointe, mais pas pour une avocate.
- En même temps, ça doit avoir une influence inconsciente, quand même.
- Quand t'es beau, dans' vie, tu te rends beaucoup plus loin, pis tellement plus vite. Toi, là-dessus, t'as une grosse longueur d'avance.

T'essaies d'attraper furtivement ton reflet, sur une fenêtre du café.

- Je t'ai vu, Cousin Fred dit, amusé.

Tu reposes ton regard sur la foule, un peu mal à l'aise.

- Oui, t'as une grosse longueur d'avance, t'as une belle face, un rien t'habille, t'as une super belle shape, mais néglige pas le gym même si t'es dans le jus avec l'école, pis essaie de faire preuve d'un minimum de bon goût. Un diamant emballé dans du papier journal, y a pas personne qui va s'arracher ça.
- Je suis pas correct, en ce moment?
- T'es parfait. Je fais juste dire.

Un première de ta section, le grand fouet à lunettes qui arrête jamais de parler, s'est joint au cercle, juste à côté de la belle Libanaise. Il semble déjà connaître l'associé de Dascal Mackenzie. Quelque chose en toi frémit.

- Ce gars-là connaît tout le monde, tu grondes.
- Oui, y'est impliqué dans la FAÉCUM, me semble. Président des jeunes péquistes, aussi. Il était à la FECQ, avant. Y'est partout.

Il doit avoir vingt-deux, vingt-trois ans, donc trois ans de plus que toi : une différence d'âge, même minime, à ce stade, peut avoir un impact majeur sur les réseaux.

- Gai, Cousin Fred ajoute. Ça aide.
- En suçant pour un stage?
- Non, je pense pas. Mais c'est comme une confrérie. Ça se connaît toute, ce monde-là. Ça transcende les milieux. Les banquiers, les avocats, les politiciens, les académiques, les artistes. Société secrète de la sodomie.

Le fif péquiste lance une blague. Tout le cercle s'esclaffe. Oui, il a l'air assez habile. Faudra le garder près de toi, tu conclus : garder les menaces éventuelles le plus près de soi possible.

- Je comprends pas comment un gars de vingt-deux ans peut militer pour le PQ, par contre, tu dis.
- Les mauvaises décisions qu'on prend, des fois, hein.
- Faut être une vieille personne dans un corps de jeune homme.
- Ça doit sûrement plaire à quelqu'un.

Le fif péquiste cogne son verre contre celui de l'associé de Dascal Mackenzie et papillonne vers l'essaim Skarsgard Morgan. Une femme d'une quarantaine d'années, d'allure sèche comme du bois de grève mais assez chaleureuse, vient embrasser Cousin Fred.

- T'as le temps pour des quatre à sept, toi? elle dit en faisant un clin d'œil.
- J'initie un première, il dit, l'air de déconner à moitié. Mon cousin. Enfin, pas mon cousin, mais –
- Oh! Tu parles si c'est fin!

Puis, alors que Fred va pour faire les présentations, elle coupe :

- Mais attends, je pense que je te connais, toi!

Elle est associée chez Alberti Johnson, et elle est intervenue dans une histoire de litige pour ton père, dit-elle; « Un homme vraiment charmant, hein! » Elle s'éloigne en vous faisant de gros sourires.

Étrange milieu que celui du droit, où le fait d'avoir eu des ennuis légaux peut être un atout, et non une tare.

- Claire est quand même nice, pour une madame, Cousin Fred dit en la regardant partir.

Tu fais un oui de la tête. Tu remets les yeux sur la foule, au milieu du café. Tu dis :

- Les gens ont l'air de vouloir beaucoup, tu trouves pas?

- Ouais. Le monde se fait dire de défoncer des portes pis d'être proactifs, mais ils oublient qu'y a personne d'aussi attirant que quelqu'un qui s'en crisse. C'est comme pour le cul.

- C'est humainement possible de faire la course au stage en s'en crissant?

- Ça serait un bel objectif à atteindre.

Il prend ton bras pour t'attirer vers le bar. Il vous ressert deux verres de vin.

- Quand j'ai eu ma réponse d'Alberti, en avril, j'ai dormi pour la première fois en un an et demi.

- So far ça va, pour moi.

- Je comprends que so far ça va. Ça fait deux secondes que t'as commencé.

- Ouais.

- Imovane ça marche bien, pour dormir. Tu demanderas à ta mère de te faire une prescription, quand tu seras à bout.

Il y a une file, littéralement une file, devant Claire. Ça te semble humiliant, faire la file pour parler à quelqu'un, comme attendre sagement pour embrasser la bague d'un curé.

- Une conception erronée qu'il faut se sortir de la tête, Cousin Fred dit, c'est que t'es soumis aux envies de ceux qui choisissent. C'est pas parce qu'ils ont le choix parmi cinq cents têtes que toutes les candidatures se valent. C'est aussi difficile pour toi d'obtenir un stage que ça l'est pour eux de pas se tromper pis engager un attardé mental. Regarde le monde, ici. À qui tu ferais confiance pour te représenter?

C'est difficile de donner une vraie estimation parce que tout le monde, ici, semble avoir été taillé du même bois : même coupe de cheveux, même complet ou tailleur (à quelques fautes de goût près), même balai dans le cul.

- Comment savoir, tu dis.
- Exactement. C'est pour ça qu'y sont fourrés. À cinq cents prétendants, il y a beaucoup de désherbage à faire, mais faut pas non plus jeter le bébé avec l'eau du bain. C'est ça la game : faut juste trouver comment y vont décider de faire tomber le couperet, pis s'arranger pour pas être en dessous. Pour le moment, anyway, y'ont aucun moyen de savoir qui est un bon avocat. Y a les notes, oui, mais ça veut tellement rien dire. Le travail d'avocat, ça a rien à voir avec ce qu'on apprend au bacc, ou presque. Les cabinets, c'est des business. Y veulent quelqu'un qui va bien faire le travail, oui, mais surtout quelqu'un qui va *apporter* du travail. C'est pour ça, les habiletés sociales, le réseau, les quatre à sept, l'implication communautaire. Être avocat, au sens où les grands cabinets l'entendent, ça a rien à voir avec la justice. C'est du marketing. C'est pour ça que la *famille* est importante, man. Le fils d'immigrant de ville Saint-Laurent, ou le ti-cul de Beauceville qui a des bonnes notes pis qui débarque dans la grande ville, c'est super cute, mais ces gars-là connaissent pas le monde qui va amener des clients prestigieux à un cabinet.

Tes yeux se posent sur la provinciale sportive de ta section, avec sa silhouette impeccable, longue, tonique, et sa teinture blonde parfaitement uniforme, presque jaune. Elle a le profil type d'un étudiant de Sherbrooke (amour des grands espaces, origines moyennes), et pourtant, elle a choisi l'UdeM, l'as-tu entendue dire, précisément parce qu'elle voulait travailler en grand cabinet, et que c'est le meilleur endroit pour faire la course au stage.

- Oh, oui, ben motivé, y va peut-être finir par connaître du monde, mais y'est mieux de se lever de bonne heure. Nous, on est nés sur la montagne, man. On connaît juste ça. Le monde avec qui t'es allé à Stanislas, à Brébeuf, c'est l'élite. L'ascenseur social existe pas. Y'a jamais existé. T'es working class, tu vas être un avocat working class. C'est pas grave en soi, tu te rendras probablement même pas compte de ce que tu manques. Mais toi pis moi, on peut pas se contenter du bas de l'échelle. Ça serait un downgrade épouvantable.

Le fif péquiste fait un selfie avec un gars de Barrington. Ils ont la bouche ouverte, pour feindre une sorte de surprise niaise. Ton poing qui se referme, par réflexe : il t'irrite, ou tu l'envies, tu sais pas trop.

- Le génie de tout ça, Cousin Fred dit, c'est que t'as pas à essayer de devenir une perle. T'as juste à savoir que t'en es une.
- Je sais que j'en suis une.
- Maintenant, faut leur montrer.
- Oui.

- Un GPA d'au moins 3,6 idéalement, ça va t'avoir une première entrevue.

- T'avais pas dit 3,2?

- 3,2 c'est le minimum. 3,6 t'es sûr d'avoir une première entrevue. Le plus important, c'est de se rendre à une première entrevue : tu sais que tu vas bien paraître, tu t'exprimes mieux que la majorité des gens. Les gens sont des imbéciles, généralement. Après ça, des fois y vont voir un dossier avec un bon GPA pis rien faire, mais c'est probablement parce que c'est le petit gars de Beauceville pis qu'y connaît personne. C'est pour ça qu'il faut que le monde associe ta face à ton dossier. Capital. Il faut aller aux quatre à sept, il faut être sympathique.

- Mais pas trop.

- Oui. Il faut leur parler des Alouettes s'ils aiment les Alouettes, il faut leur parler de voilier s'ils aiment le voilier, il faut leur parler de l'exposition au Musée des Beaux-Arts s'ils aiment le Musée des Beaux-Arts; faut connaître des choses. Il faut être là, mais pas trop, exister un peu partout, par accident, sans insister, pour que tu vives quelque part, dans l'arrière de leur tête, pour que, quand ils regardent ton CV, pis ton relevé de notes, pis qu'ils se demandent si tu vaux une place dans leur cabinet catégorie A, ils sachent, au fond d'eux, sans pouvoir l'expliquer, qu'ils ont toujours recherché quelqu'un comme toi. Même si y te connaissaient pas. Même si y savaient pas que quelqu'un comme toi pouvait exister.

- C'est un peu comme tomber en amour, comme un coup de foudre, tu dis.

- T'es tellement cute, man, Cousin Fred dit en riant. Non, c'est plus comme quand tu rentres dans un magasin de shoes pis qu'y a une voix inaudible qui te murmure de repartir avec la paire de Nike plutôt que la paire d'Adidas. T'es marchandise pis vendeur, t'es département production pis département marketing. T'es le shoes de sport pis la publicité au Super Bowl. Il faut que tu deviennes un produit, mon gars.

Il cale son verre de vin.

- Pour leur prouver que t'es capable de vendre des produits.

T'aurais voulu t'en sortir seul, mais Cousin Fred t'a bien averti : c'est pas mal mieux d'étudier avec les gens de ta section. Partiellement pour t'y référer en cas de doute, mais surtout pour être certain de travailler au moins autant qu'eux. T'as établi la provinciale sportive, le fif péquiste, l'Italien du West Island et la fille de syndicaliste comme les alliés et les rivaux les plus valables, et vous avez en quelque sorte fondé un club informel, mais constant, qui a élu domicile entre les murs de la bibliothèque de la faculté de droit.

Les intras sont venus vous rentrer dedans sans avertir, avec le froid d'octobre.

Tout occupé que t'étais à te familiariser avec ton nouvel environnement, à essayer de voir qui seraient les individus les moins intolérables avec qui faire des travaux d'équipe, avec qui aller prendre des verres, et avec qui devenir, comme on dit, possiblement *ami*, t'as pas vu les premiers examens se pointer le nez.

T'as pas été le seul, cela dit; tout le monde semble s'être réveillé en même temps, et la bibliothèque du pavillon de droit s'est mise à être remplie de petits Jedis de la Justice dès sept heures quarante-cinq chaque matin.

Techniquement, tu préfères étudier dans la salle de repos du Atwater Club; c'est idéal, ça fait vieille Angleterre. Le seul inconvénient est qu'il faut parfois tolérer les contacts visuels avec les douchebags fils à papa de McGill.

Cependant, t'as remarqué qu'il fallait passer du temps à la bibliothèque, pour t'inscrire dans l'écosystème de ta promotion, de la faculté entière, même. Étudier est à peu près aussi important que l'apparence d'étudier. Il faut donc arriver tôt, avec ton sac à dos bien plein, bien étaler ses livres, ouvrir son MacBook (Air, treize pouces, cadeau de Papa et Maman, pour la rentrée; les gens avec des PC te répugnent) et fermer son iPhone, surligner des phrases avec des marqueurs pour avoir l'air d'être en train de tenter de se souvenir de quelque chose d'important. Ce qui se passe réellement à l'intérieur de ta tête, tout le monde s'en fout : l'important est d'avoir l'air concentré, plus concentré que les autres, et depuis plus longtemps.

Parfois, quand t'es distrait, tu jettes un regard loin autour de toi et ça te régale de voir tes collègues souffrir devant leurs livres. Parce que tu sais que pour toi ça ira. C'est pas que t'aies un talent particulier pour le droit, et de toute façon il serait trop tôt pour le savoir : t'es bon, c'est tout. Dans tout ce que tu fais. T'as pas atterri au bacc par intervention divine. T'as pas fini Brébeuf avec 34 de cote R en roulant les bons dés : t'as simplement fait ce que t'avais à faire. Tout ce que t'as fait, depuis toujours, a toujours été réussi de façon remarquable. T'es un être humain excellent, dans tout ce que t'entreprends. Si tes parents t'avaient fait essayer le piano, tu serais au Conservatoire et tu serais le meilleur de ta classe. Le sprint, brièvement, t'as essayé au secondaire, tu faisais des temps notables, et le volleyball ça s'est bien passé, et le soccer aussi, mais faut choisir ses combats. T'aurais fait un bon chercheur, aussi, sûrement, et clairement un bon médecin (t'as été accepté en médecine partout, au fait : McGill, UdeM, partout, fierté de tes parents; Aurélie, elle, est entrée après avoir poireauté sur la liste d'attente, la pauvre), mais bon, t'avais envie de ce que tu fais maintenant, et comme tout ce que tu fais, tu le feras mieux que les autres : la question, comme toujours, est de savoir à quel degré, et ça t'excite beaucoup. Le talent existe pas, mais force est d'admettre que t'es né avec ce qu'il faut pour régner.

Tu y penses quelques secondes et ça te permet de replonger dans tes livres avec une attention renouvelée.

Vous vous souriez, parfois, toi et les gens du groupe, le fif péquiste, ou la provinciale sportive, ou l'Italien du West Island (mais jamais la fille de syndicaliste, elle qui demeure toujours impassible, désintéressée des autres), quand vous êtes installés à une table, silencieux, depuis tôt le matin, et que quelqu'un, souvent le Carabin, arrive tard, vers dix heures, dix heures trente. Alors il comprend que vous êtes là depuis longtemps, et tu peux presque sentir le claquement du coup de fouet qu'il s'envoie dans le dos, dans sa violente autoflagellation mentale : le plaisir que lui a procuré sa victoire de la veille contre le Vert et Or, ou le Rouge et Or, s'effrite, terni par la honte d'avoir pris une, deux, trois heures de retard sur votre temps d'études.

Tu souris mais tu dis rien de plus : être heureux et détendu, ici, en période d'examen, c'est déjà un énorme affront. Ça angoisse, de voir quelqu'un qui réussit. Quelqu'un qui l'a facile. On va pas se raconter d'histoires sur l'égalité des chances : t'es blanc, t'es beau, t'es en santé, t'as toujours mangé à ta faim, et t'as des capacités cognitives supérieures à la moyenne (c'est juste une estimation, t'as jamais essayé de le quantifier, mais faudrait être con et de mauvaise foi pour avancer le contraire). T'as toujours eu le haut du pavé et tu récolteras les honneurs en conséquence. Normal que ça fasse peur.

T'es venu ici pour être meilleur que les autres et tu le seras. Ceux qui te reprocheront de manquer de bonté le feront parce qu'ils en souffrent, mais faut se rappeler qu'eux en feraient autant que toi, s'ils le pouvaient. C'est facile de prôner la paix quand on n'a pas de gun en main.

À l'approche de la fin de la session, la charge d'étude s'intensifie, et parfois, en quittant la bibliothèque sous les ordres du garde de sécurité qui a hâte de rentrer chez lui, à vingt-trois heures, tu échappes, nonchalant, dans une conversation, un soupir fatigué, disant que tu peux pas croire que t'es là depuis si tôt le matin. Tu sens les pas se presser autour, des regards nerveux qui fuient vers le sol. Tu sens les os de ceux qui arrivent pas à se tenir droits et fiers craquer sous tes pieds, et ça te fait chaud en dedans.

- One down, two to go!

L'Italien du West Island a dû hurler, pour se faire entendre. Ça gueule, partout autour. La musique est dans le tapis. La basse cogne jusque dans ton ventre.

Il lève son shooter de vodka. Vous l'imitez, toi, le fif péquiste, la provinciale sportive, la fille de syndicaliste et le Carabin. Une petite idiote de la section B accroche ton bras en tentant de se frayer un chemin dans la foule; un filet d'alcool ruisselle le long de ta main. Tu t'essuies sur ton pantalon en foudroyant la petite connasse maladroite du regard.

- De quoi tu parles, two to go? la provinciale sportive dit. Y nous reste encore cinq sessions.
- Après la session d'automne l'an prochain, nos notes seront plus comptées pour la course au stage, l'Italien dit. Pis c'est ben juste ça qui compte, tant qu'à moi.
- Dépend, le fif péquiste gueule, sa diction complètement déformée par l'alcool. Si tu te retrouves pogné à devoir refaire la course en troisième, t'as intérêt à avoir eu des crisse de bonnes notes en deuxième…
- Yeah, like that's gonna happen, l'Italien dit avec un sourire à fesser dedans.

La provinciale sportive roule les yeux, lui répond :

- Sois pas trop confiant, mon beau.
- Je sais ce que je vaux, l'Italien dit. C'est votre problème si vous manquez de confiance.
- Anyway, t'as quand même intérêt à passer ton bacc si tu signes avec un grand cabinet, la fille de syndicaliste ajoute.
- Parce t'es une experte en grands cabinets, j'imagine?

Elle secoue la tête, soupire. Vous faites cogner vos shooters, les avalez. La brûlure de la vodka descend le long de ton sternum. L'Italien tape le comptoir bruyamment avec son verre.

- Section A, represent! le fif péquiste gueule.

Vous applaudissez, toi et les autres section A autour. Sept section C vous imitent, plus loin, au bar. Tu vois une flopée de troisième entrer dans le bar, essayer de se glisser dans la foule déjà dense. La morsure du froid, un instant, qui te soulage de l'épaisseur de l'air ambiant. Tellement humide que t'as l'impression d'avaler de la sueur de futur avocat à chaque inspiration. Cousin Fred se matérialise derrière toi, attrape ton épaule, t'embrasse, dit en levant les poings :

- Y me reste rien qu'une fucking session, man!

Tu lui tends ta pinte, remplie aux trois quarts. Il la cale, hurle :

- Je suis chaud noir, dude. On arrive de souper, j'ai dû boire deux bouteilles de mousseux. Câlice que ça fait du bien, d'être en vacances! Tu vas au chalet, toi, à Noël?

Vos chalets sont voisins, à North Hatley.

- Revelstoke, avec mes parents, tu dis. Snowboard.
- Malade, man!
- Ouais, c'est la première fois depuis vraiment longtemps que j'ai pas de compé ou de camp d'entraînement à Noël, vu que j'ai pus de volley... Mais on dirait qu'à ce compte-là j'aurais continué les cours pendant les Fêtes. Me serais senti plus productif.
- T'auras le temps d'être productif ben en masse plus tard, man. Dude, c'est qui la belle blonde à côté?
- Fille de ma section.
- 'Est chaude en tabarnak.
- Merci, elle dit en se retournant vers lui, amusée.

Juste comme Cousin Fred s'approche de la provinciale sportive pour entamer une conversation, le fif péquiste explose dans un jet de vomi remarquablement puissant, aspergeant le bar, le Carabin, Cousin Fred, et la pointe de tes Nike. La provinciale sportive éclate de rire, demande une guenille à la barmaid qui partage aucunement son enthousiasme. Tu dis à Cousin Fred :

- Meilleure chance la prochaine fois, mon gars.

Le fif péquiste tient plus debout; vous l'amenez dehors, toi et la provinciale sportive. Le froid te fait dégriser presque d'un coup. Ta chemise trempée de sueur se glace en quelques secondes. Une dizaine de fumeurs forment un cercle autour de quelque chose que tu vois pas, par terre.

Vous arrivez même pas à asseoir convenablement le fif péquiste sur le bord de la rue. Sa langue pendouille. Ses yeux sont révulsés. Vous finissez par le coucher sur le bord du trottoir, par-dessus le mince filet de neige mêlée de boue. Ses vêtements vont être ruinés : vomi devant, slush brune derrière.

- Y'a bu quoi? la provinciale sportive demande.
- De la bière pis du fort, je pense. Ah, pis du vin en soupant tantôt, aussi.
- La quantité, je veux dire.

Tu lui tapotes la joue doucement. Aucune réaction, mais il respire.

- J'ai aucune idée, tu dis. Beaucoup.

Une ambulance vient se stationner devant la porte du bar. Deux ambulanciers sortent une civière. Le cercle de fumeurs se défait pour les laisser passer : un section B est couché par terre, comme le fif péquiste, inconscient, avec deux personnes agenouillées près de lui. Les ambulanciers tentent de lui parler, l'installent sur la civière, le roulent jusqu'à leur véhicule.

- Faudrait peut-être envoyer une autre ambulance, tu dis à un des ambulanciers avant qu'il referme la porte.
- Une autre? C'est le quatrième call qu'on a, à soir. Quessé qui se passe icitte, au juste?

- Juste un party de fin de session.

- Vos sessions doivent être rushantes en sacrament pour que vous ayez besoin de vous péter la face comme ça quand ça finit.

- T'as même pas idée.

Tu t'es installé dans le bureau de ton père avec une attention cérémonielle. T'as bien installé ton MacBook sur son gigantesque bureau en noyer, en plein centre. T'as levé l'écran. T'avais du mal à te retenir de sourire alors que tu entrais l'adresse du portail de l'université : un enfant qui s'apprête à ouvrir son plus magnifique cadeau d'après-Noël. Ton souffle bruyant, le ronronnement discret du MacBook et les bourrasques de la tempête de neige derrière toi.

Toi qui te vois insérer négligemment ton GPA dans une discussion, à la demande d'un collègue de classe obsédé par la compétition, le Carabin sûrement. La chaleur qui monte de ton plexus à t'imaginer le fif péquiste, l'Italien du West Island qui te jalousent.

Entrer ton login, et ton mot de passe, et cliquer.

Voir se déployer devant toi toutes tes notes.

Obligations 1 : B
Personne physique et famille : B
Droit des biens : A-
Droit constitutionnel 1 : B
Fondement du droit 1 : B-
Introduction au droit : B+

Les intras t'avaient donné l'impression que t'étais en tête de peloton. T'as tout gaspillé avec la fin de session. Le problème, c'est la courbe : tout le monde est bon, maintenant, alors il faut être meilleur que tout le monde.

Ton GPA est de 3,12.

3,12.

Le chiffre vient te frapper comme un élastique qui te pète au visage. Le sang quitte ta tête. Ta peau devient froide. T'arrives plus à trouver ton air. Quelque chose est en train de mourir en dedans de toi. Tu sens une douleur atroce à ta tête. Tu te dis que c'est pas vraiment arrivé. La page dit toujours que ton GPA est de 3,12 quand tu rafraîchis, et tu sais plus quoi faire. Il faudrait s'enfuir, mais le placage de bois sombre des murs du bureau se referme sur toi. Dehors, la tempête cause un whiteout complet, blanc sur blanc. Un blanc presque gris.

Peut-être que t'as pas d'avenir, finalement.

T'as nulle part où aller. Si tu sors d'ici, tes parents vont te demander pourquoi t'as cette gueule, et tu peux certainement pas leur dire que c'est parce que tu viens de recevoir ton relevé de notes, ils comprendraient pas et ils comprendraient trop. Tu peux certainement pas le dire à Aurélie non plus, elle dirait que c'est pas grave, même si elle sait pertinemment que ça l'est. Non : personne peut t'être de quelque secours que ce soit, parce que la seule façon de survivre à ce qui se présente à ton œil en ce moment, c'est de lui accorder une moindre importance, c'est de dire que c'est pas grave. Mais il faudrait être malade mental pour virer de capot comme ça, et dire que c'est pas grave, un GPA de 3,12, alors qu'on vient de passer trois mois, voire une vie complète, à ne mesurer sa valeur que par quelques lettres et trois chiffres. T'es peut-être un cancre, maintenant, mais tu renonceras pas à ta rigueur intellectuelle. Il y a pas de porte de sortie à tout ça : c'est une note dégueulasse et c'est tout.

Mais qu'est-ce qu'il faut comprendre? Pourquoi est-ce que c'est pas toi qui es au top? Et qui peut bien l'être? Certainement pas le Carabin. Peut-être le fif péquiste : alors quelle humiliation qu'il t'ait ravi ton trône, si c'est le cas.

Tu effaces ton historique, tu rabats l'écran du MacBook et tu poses tes mains sur le métal qui ronronne doucement, comme s'il renfermait un secret sinistre. T'essaies de contrôler ta respiration mais elle part dans toutes les directions. T'as la gueule qui veut pas se refermer et le diaphragme qui donne des coups comme une voile au grand vent. Les yeux qui s'irriguent, des coups de pied au sternum, et tu contractes tous les muscles de ton corps. Tu serres, et tu forces, et tu grimaces, et si la douleur se dissipe pas, au moins elle vient se terrer discrètement dans ta poitrine, comme une grande poche d'eau bouillante qui te brûle de l'intérieur mais qu'au moins personne voit.

Il faudrait faire du sport. Important de rester beau, si tout le reste fout le camp. Cousin Fred l'a dit. Il faut écouter Cousin Fred.

Il fait trop tempête pour aller au Atwater Club. T'aimes pas trop la salle de sport de Papa et Maman, au sous-sol, mais entre ça et rien, le choix est évident.

Tu t'installes dans le gym du sous-sol avec l'intention ferme de te faire mal. Quinze minutes de rameur, pleine intensité. Trois séries de cinquante kettlebell swings. Burpees chin-ups, trente fois, trois séries.

Tu te situes pas dans la *normale*. T'es clairement au-dessus de la moyenne, si t'as eu 34 de cote R, à Brébeuf. Clairement au-dessus de la moyenne, si t'es entré en droit à l'UdeM.

Cinquante box jumps, trois séries. Dix minutes de corde à danser. Half get ups, trois séries de chaque côté, vingt répétitions.

Mais t'es loin d'être excellent. T'aurais 3,8 ou 3,9 si tu l'étais. T'es meilleur que beaucoup, mais pas le meilleur.

Dix toes to bar. Trente ab rollers. Une minute de planche. Une minute de body saw. Une minute de reverse crunch. Une minute de planche de côté, chaque côté. Répéter l'ensemble quatre fois, ou jusqu'à ce que le ventre lâche.

T'as toujours eu tout ce que tu voulais. Depuis toujours. Pourquoi faudrait commencer à faire des compromis à vingt ans?

Se finir avec le vélo (le Cervélo S5 de Papa, sur un support d'entraînement Tacx; il déteste les vélos stationnaires), le plus longtemps possible, à défaut de pouvoir courir dehors. Une heure, idéalement.

Non, t'es pas de ceux qui acceptent les compromis, penses-tu, les yeux fixés sur ton reflet, ta camisole trempée de bord en bord, la sueur qui pisse de ta tête, de ton visage, de ton dos, sur le vélo et sur le sol tout autour.

Ça fait deux jours que ton GPA a mis un chiffre sur ta médiocrité et il a pas arrêté de neiger, depuis. Les rues sont dégueulasses. Enfin, tu penses : t'as pas mis le nez dehors. Tu vas quand même aller au Atwater Club. Pour t'aérer l'esprit. C'est ta seule vraie raison de sortir. Aurélie est pas revenue de chez sa tante à Paris, et tout le monde est occupé avec les derniers soupers post-Noël. Pas que t'aurais envie de voir qui que ce soit. T'as rien fait d'autre que t'entraîner au sous-sol, depuis deux jours. T'entraîner et te masturber devant des vidéos de threesomes japonais.

Tu lances ton sac dans le fond de la Wrangler, sur la banquette arrière. Tu t'assois derrière le volant. T'arrives pas à mettre les clés dans le contact. Ta main tremble.

Tu comprends pas très bien ce qui se passe. Ça s'est opéré rapidement.

T'es en train de hurler. De frapper ton volant. Les larmes te brouillent le visage. Tu veux te redresser mais t'es pas capable. T'es accroché à ton volant comme à une bouée de sauvetage. Plus aucun tonus. Tu te sens comme si tes intestins allaient te sortir par la gueule. Ça te fait comme une brûlure, du nombril à la gorge. Ta gueule reste ouverte, crispée, et ça secoue de spasmes tous les muscles de ton visage. Quand t'arrêtes de hurler, tu penses que ça y est, que t'as plus d'énergie, et plus de pleurs à pleurer. Puis tu te mets à hyperventiler. Ton diaphragme vacille rapidement de haut en bas. Plus aucun contrôle. Puis ça recommence : la grimace, un début de sanglot, puis un hurlement.

Ta face est bouffie comme si t'étais sur la cortisone.

Se concentrer sur la base. Mettre la clé dans le contact. Ouvrir les portes du garage.

Tu comprends absolument rien de ce qui se passe. Avec seulement quelques jours avant le début de la session d'hiver, toutes les choses ont perdu le peu de sens qu'elles ont déjà eu.

Avancer dans la tempête. Tout le monde conduit comme des culs. Ça avance pas à plus de vingt kilomètres-heure.

T'as été assez bon pour camoufler, pourtant. Tu crois. Papa et Maman ont rien vu.

T'as mal aux mains, tellement tu tiens le volant fort.

Quand tu t'es couché, la nuit dernière, t'as fixé le plafond pendant des heures. Au début, tu pensais à rien. Un vide monastique. Puis les chiffres de ton GPA se sont mis à tournoyer dans les airs, et tu t'es demandé combien les autres ont eu. Ton corps s'est enfoncé dans ton matelas comme dans de l'eau noire. Ta respiration est devenue laborieuse. Un nœud, dans ta gorge. Tu t'es masturbé. Ça t'a permis de faire le vide. La détente diffuse de l'orgasme t'a protégé pendant peut-être dix minutes. Puis ça a recommencé. Le plafond. Les collègues de classe. Puis t'as repensé à cette fois où ta mère avait proposé de te payer un tuteur parce que t'avais eu une moyenne générale de seulement 88, en secondaire 3. Tu t'es senti inadéquat. T'as pensé aux plans B. Laisser tomber l'idée de faire la course au stage. Se contenter d'un stage atrocement normal. Peut-être travailler dans le communautaire. Ou alors simplement lâcher le droit. Puis t'as bandé à nouveau. Tu t'es crossé. Tu t'es calmé. T'as angoissé. Après quatre répétitions du manège, tu t'es endormi; il était environ quatre heures du matin. Vers six heures, t'as ouvert les yeux. T'étais heureux de constater que tout ça n'était qu'un mauvais rêve, puis la lucidité t'a envoyé un coup de pelle au visage, et t'as réalisé que c'était pas un rêve. Que t'es quelqu'un de misérablement médiocre, encore, toujours.

Tu te rappelles avoir déjà pensé que tu étais talentueux, point; que tu serais bon dans n'importe quoi, peu importe ce que tu ferais. Comme on peut se tromper, parfois.

T'évites les miroirs en te changeant, au gym. T'as une gueule horrible. Ronda Rousey qui vient de manger une volée. Tu comprends pas comment t'as fait pour cacher ton état. Les gens ont pas d'antennes, même ceux qui pensent te connaître. Même Papa et Maman. C'est correct. Ça t'arrange. T'as pas envie de rentrer là-dedans avec eux. Ça sert à rien de rentrer là-dedans avec qui que ce soit, de toute façon : personne peut y changer quoi que ce soit, sauf toi.

Il faudra étudier plus fort. Tu sais qu'il y a l'Italien du West Island qui revend ses Concerta, et paraît que c'est vraiment utile pour étudier.

C'est peut-être à cause de ça que les gens ont de meilleurs GPA que toi. Évidemment que les autres cyclistes devaient angoisser, quand ils voyaient Lance Armstrong tout rafler.

Il a été bien puni avec son cancer de la couille. Peut-être que les usagers de Concerta seront punis d'une tumeur au cerveau. Tu pourrais tolérer une tumeur au cerveau si ça te donnait un GPA qui a de l'allure.

T'arrives à faire tous les exercices de ton programme. Tu comprends pas trop comment. Ta forme est moyenne, tu respires pas bien. T'as aucune motivation et tu sens ton corps tirer vers le bas, comme si tu t'entraînais sur une planète où la gravité est plus forte. T'es sur le bord d'éclater en sanglots, aussi, souvent, surtout pendant tes pauses. Mais t'arrives au bout de ton entraînement vivant et sans avoir pleuré. Mince victoire.

Au moins t'arrives à conserver la carrosserie quand tout ce qui est sous le capot est en train de péter.

Non, c'est faux : tout va bien.

Aurélie a rien remarqué, en revenant de voyage, sauf ta constante envie de baiser. C'est le seul moment où tu penses à rien, quand tu baises. Ou quand tu te crosses, dans une moindre mesure. Seulement là tu te retrouves obligé de prendre une pause, parce que tu t'es fait des brûlures de friction sur le pénis.

Le carnaval étudiant, peu après la rentrée, te permet d'oublier un peu, parce que t'es soûl pendant cinq jours consécutifs. T'évites de justesse une hospitalisation, le soir du concours de pichet blaster, où la section A gagne cette compétition idiote où les étudiants doivent caler le plus grand nombre de pichets de bière en cinq minutes. Une victoire due en grande partie au fif péquiste, évidemment, avec sa capacité d'ingestion d'alcool étonnante pour son corps aussi délicat.

Tu réussis à continuer d'aller à tes cours sans que rien paraisse. Il y a seulement quelques ajustements. Parfois, pendant une pause, tu vas dans une toilette pour handicapés que tu as trouvée, au bout d'un corridor, complètement isolée, et tu poses ton téléphone sur le lavabo, pour ne pas perdre conscience de l'heure, et tu te mets à pleurer. Ça dure généralement dix minutes; tu peux prendre les cinq minutes restantes pour te nettoyer le visage, te sécher, essayer d'avoir l'air d'un être humain normal.

Quand tu reviens en classe, tu arrives à écouter sans problème, tu prends tes notes, tu comprends tout. Tout va bien. La provinciale sportive et le fif et le Carabin et l'Italien, les dizaines de personnes autour de toi ne relèvent rien, ne voient probablement pas le train qui siffle à toute allure dans ta tête. C'est bien comme ça.

Sauf ce moment, au café étudiant, où l'Italien du West Island a demandé, bien accoté sur le comptoir, les bras croisés, avec sa grande gueule satisfaite, si les gens étaient satisfaits de leur GPA, dans une fausse tentative de small talk. La provinciale sportive a répondu sèchement, avant de partir :

- À quel point c'est pas de tes affaires.

C'était la première fois que tu la voyais ne serait-ce qu'un peu indisposée, elle qui est toujours pétillante, souriante, impeccable, dégoulinante de kale et de bons sentiments.

- Voyons, 'est ben fâchée, l'Italien a dit en riant.
- J'ai eu 3,59, le fif péquiste a dit.
- Pas pire. J'ai eu 3,46.
- Pas pire.

T'as rien trouvé de mieux à faire que fermer tes livres et tes cahiers de notes étalés sur la table commanditée par Barrington, remplir ton sac en vitesse, en échappant tes écouteurs, et quitter le café sans te retourner pour les prendre, obsédé par l'idée de te rendre au plus vite à ta toilette pour handicapés, au bout du corridor, seul terrain neutre derrière les lignes ennemies.

L'Italien t'a suivi jusque dans le corridor pour te redonner tes écouteurs.

- Ça va? il t'a demandé.

T'as haussé les épaules pour signifier la niaiserie de sa question. Alors qu'il retournait au café, tu l'as arrêté :

- Hey, j'ai comme une drôle de question.
- Ouais?...
- Quelqu'un m'a dit que tu vendais du...

Il t'a regardé en souriant. Clairement déterminé à pas t'aider à te sortir de ton malaise.

- ... du Concerta.
- Oui.
- C'est vrai?
- Oui.
- Okay.
- T'as de la misère à étudier?
- Non, non.
- Ben d'abord pourquoi t'en veux?

T'as eu envie de lui foutre ton poing au visage. Tu t'es contenté de soupirer.

- Laisse faire, t'as dit.
- C'est trois piasses chaque. Tiens, essaye la première gratis, juste pour voir si ça te fait.

Et ça le fait, effectivement : un Concerta le matin et tu développes une vision télescopique. Tu choisis d'écouter en classe et il n'y a que la classe. Tu choisis de te plonger dans une revue de jurisprudence et tu en ressors trois heures plus tard, quand on te fout à la porte de la bibliothèque, et que tu es certain d'avoir compris la moindre virgule d'un jugement rendu.

Mais le Concerta te protège pas contre la douleur de tes déplacements en voiture. Souvent tu penses que tu passes une bonne journée, puis tu t'assois dans ta Wrangler, dans le stationnement sous-terrain de l'université, et un hurlement surgit de ton ventre comme une vomissure. C'est tellement fort que ça doit résonner dans tout le stationnement, mais jamais personne ne semble être dérangé. Quand ça se calme, tu réussis à sortir la Wrangler du stationnement, tu avances lentement dans la boue et la glace et la neige brune, et souvent tu dois te ranger parce que ça te reprend. Parfois tu es à un feu rouge, tes mains serrées tellement fort sur le volant que tu pourrais l'arracher, et ta tête vient s'effondrer contre lui, parfois tu t'y cognes le front, même. Parfois tu regardes devant. Parfois tu attrapes le regard d'un piéton qui traverse; il a accès à un moment de grande intimité, de grande vérité, et surtout de grande connerie humaine. Le spectacle d'un gars qui hurle, comme il le fait depuis des semaines, plusieurs fois par jour, parce qu'il a reçu un GPA qui lui plaisait pas.

- Je t'ai vu, dans ta voiture, aujourd'hui, Aurélie dit.

Parfois, ce piéton qui traverse est ta copine.

Vous étiez silencieux depuis une heure, vos livres éparpillés sur toute la surface de la table de la salle à manger; pharmacologie de son côté, responsabilité civile du tien. Tes parents étaient pas à la maison. C'était le silence complet, sauf pour les sirènes aliénantes du déneigement, dehors.

T'étais concentré. Les mots sur le livre et les feuilles devant toi s'effacent, maintenant.

- Tu m'as pas vue, elle ajoute.

Tu fais un oui de la tête, comme pour balayer ce qu'elle dit du revers de la main.

- Tu pleurais, babe.

Inspirer. Expirer. Ne pas lever la tête vers elle et elle comprendra que tu veux la paix.

- Tu pleurais pas, en fait. Tu gueulais. Je traversais, sur Édouard-Montpetit. Devant toi. Je t'ai vu, je te dis.
- Okay.

Elle a commencé à frotter ses mains ensemble, indécise : elle fait un effort pour te parler doucement, pour éviter d'être intrusive. Aurélie serait le genre de fille que tu enverrais pour tenter de s'approcher d'un animal blessé, ou pour calmer un hystérique qui veut se faire exploser dans un théâtre. Elle fera un bon médecin, certainement.

- Ça m'a inquiétée.
- Okay.

Elle descend les yeux vers ses livres.

- Qu'est-ce qui va pas?
- C'est rien.

Un soupir agacé s'échappe de sa bouche malgré elle. Son visage se crispe : elle s'en veut, ne voulait pas perdre patience. Aurélie est une soie.

- C'est correct, elle dit.

Ça l'est pas, de toute évidence, mais Aurélie dit pas ça pour te faire sentir coupable, ou te forcer à parler, tu le sais : ça la rend triste, simplement.

- Je dis pas qu'il faut tout se dire, dans la vie, je pense que c'est correct que tu gardes des affaires pour toi. Mais…

Elle pose ses mains sur la table, comme pour se donner une contenance.

- Si j'étais dans l'état dans lequel je t'ai vu cet après-midi, je… je te le dirais, je pense.

- Tu vas me trouver con, Aurélie.

- Non.

Tu inspires, lentement.

- Je t'ai menti, le mois passé.

- Quoi. Sur quoi.

- J'ai eu un GPA de 3,12.

- C'est tout?

- Tu sais que c'est de la merde, ça.

- Je dirais pas de la merde.

- Ça prend 3,3, gros, gros minimum pour avoir une entrevue.

- Ça pourrait être pire.

- Je sais que ça pourrait être pire. Mais moi je veux que ça soit mieux.

- Y te reste encore deux sessions, non?

- Mais si ça s'améliore pas?

- Tu peux pas penser à ça maintenant.

- Mais y faut que j'y pense. C'est pour ça que je suis là.

- Non! Faut que tu penses juste à ce qu'y faut que tu fasses, là, maintenant. Le reste, t'as aucun contrôle.

- Mais je fais tout ce que je peux. J'ai fait tout ce que j'ai pu pis j'ai eu un résultat médiocre. Je capote, Aurélie, parce que peut-être que la conclusion c'est que finalement tout le monde m'a menti depuis que je suis né.

- Quoi?

- What if je suis médiocre. What if c'est juste ça qu'y se passe.

- De quoi tu parles?

Elle va pour articuler quelque chose, mais arrive seulement à expirer, dépassée. Elle reprend, après une longue suspension :

- Babe. Tout ça, c'est beaucoup, pour nous. Je te comprends. Moi aussi ça me stresse, l'année préparatoire, en ce moment. Mais la seule façon que j'ai trouvée pour pas m'en faire avec ça, c'est de me dire que tout ça, dans l'histoire de l'univers, c'est rien. C'est presque rien. Dans un million d'années, le fait que t'aies eu 3,12 de GPA à ta première session en droit à l'Université de Montréal, ça représentera rien. Faque let it go. C'est la seule façon de pas virer fou.

Tu t'es mis à tout imaginer dans un million d'années.

T'étais dans le cours d'Obligations, et ça a commencé par le professeur. Tu t'es demandé combien d'années il lui restait (peu, relativement), puis tu t'es demandé qui, dans la classe, mourrait en premier; tu t'es demandé qui mourrait le dernier; tu t'es demandé le nom de qui, dans la classe, serait prononcé le dernier, dans le futur. Qui aurait vécu en parole le plus longtemps.

Tu t'es dit qu'effectivement, tout ça ne signifiait absolument rien, et que même si quelqu'un dans la classe, toi ou un autre, finissait par mériter une statue à son effigie, les statues mouraient elles aussi : une génération et on vient à s'en foutre, on arrête de les entretenir, et puis après, quelques centaines d'années et c'est fini. L'élite de la société est pas plus éternelle que le reste.

Tu t'es demandé quand le pavillon de droit finirait par arrêter d'être entretenu; tu t'es imaginé la nature reprendre ses droits, un arbre pousser au milieu de la classe, peut-être, et les animaux sauvages entrer et sortir par les carreaux, des oiseaux faire leur nid dans les coins du plafond, comme dans ces photos de la ville qu'on a abandonnée quand Tchernobyl a explosé.

Tu t'es demandé quand il n'y aurait plus d'animaux, parce que l'atmosphère de la Terre se sera trop réchauffée, à cause de l'activité humaine ou de phénomènes cosmologiques.

Tu t'es demandé quand le Soleil se mettrait à grossir, à devenir rouge, une géante rouge, comme tu l'avais déjà vu dans des documentaires; tu t'es demandé de quoi la Terre aurait l'air. Aurait-elle l'air de Mars, rouge, aride, desséchée? Y aurait-il une vie qui aurait survécu et qui se serait adaptée assez rapidement?

Tu t'es demandé ce qui allait se passer quand le Soleil dégonflerait, ensuite, pour devenir une naine blanche, laissant le système solaire complètement froid; une espèce extraterrestre passerait-elle dans le coin, par hasard, et trouverait-elle la Terre complètement sans intérêt, ignorant que si elle était passée là au bon moment, quelques milliards d'années plus tôt, elle aurait pu faire ta connaissance?

Saurait-elle que l'univers s'agrandit, s'étire, et qu'une fois qu'il aura atteint sa taille maximale, il prendra le chemin inverse, revenant sur lui-même, comme un élastique qu'on a étiré? Saurait-elle que sa forme originale, à l'univers, c'est rien, presque rien?

Pour la première fois depuis le début de la session, tu as arrêté de prendre des notes parce que t'étais perdu dans tes pensées.

La 10, aveuglante à cause des champs enneigés, autour. Soleil brûlant, le vent qui tape contre la Wrangler. Aurélie écrasée sur son siège, ses pieds en bas de laine sur le dash. Le genre de choses qui t'ont déjà procuré beaucoup de plaisir. Là, tu sais plus trop, ça te fait rien, mais rien ressentir, c'est presque un luxe, maintenant. Une rare accalmie. Autant en profiter. Vous avez trois jours devant vous. Y aura pas trop de distractions, alors toi et Aurélie vous pourrez étudier beaucoup. Tu pourras t'assurer que tu gardes le cap. Tes parents devaient venir avec vous au chalet ce week-end, mais ils ont annulé pour cause de mondanités. Une bénédiction : tu pourras t'empresser de pencher Aurélie contre l'îlot de la cuisine, quand vous entrerez. Tu arrêteras de penser, pendant que tu fais ça.

Aurélie s'étire, se relève dans son siège, joue avec la radio, oscille entre Radio-Canada, Rouge FM, Virgin. Ça t'irrite terriblement. Tu fermes la radio brusquement.

Elle connecte son iPhone au système Bluetooth de la Wrangler. Pendant un instant, il ne reste que le bruit du vent qui siffle autour de vous. T'es content que Papa ait payé le plein prix pour avoir le toit rigide, plutôt que le souple. Sur l'autoroute, paraît que c'est insupportable, un Jeep à toit souple.

Puis une chanson folk que tu connais pas. Une voix de fille lancinante. Irritante. Il y a un imbécile qui reste dans la voie de gauche et qui roule à quatre-vingts kilomètres-heure. Tes mains se serrent sur le volant.

- Aurélie, peux-tu –
- Quoi?
- Juste. Mettre autre chose. Pas envie de ça.

Du baroque, après. Tu sais pas ce que ça fout sur le cell d'Aurélie.

- 'Scuse, j'ai pesé sur random, elle dit.

Gangsta rap. Quelque chose d'assez vintage, années quatre-vingt-dix, tu sais pas ce que c'est. Le soleil qui t'aveugle, et y a une côte devant toi, et tu vois absolument rien, et t'as l'impression que tu vas faire une sortie de route. La gorge te brûle et t'as chaud au visage.

- Non – Juste – Pas envie de ça.

Elle continue de fouiller. T'as le cœur qui te remonte dans la gorge, pour aucune raison, et tout à coup t'aurais envie d'ouvrir la porte et de jeter Aurélie dehors, et tu te trouves con d'être aussi impatient, et tu essaies de lui parler mais tu peux pas parce que si tu ouvres la bouche tu vas vomir, ou pire, pleurer. Tu lui fais juste un signe de la main pour lui indiquer de passer à quelque chose d'autre. Elle met une toune pop joyeuse et complètement conne, du top forty de l'an dernier. Tu vois plus tellement bien la route.

- C'est parfait, tu marmonnes. C'est parfait.
- Babe?

Elle a posé sa main sur ton avant-bras, ses paumes sont tellement douces et chaudes, et tu sais pas quel air t'as quand tu la regardes, mais elle te serre plus fort et dit :

- Pourquoi tu pleures?

Mais t'avais même pas remarqué que tu pleurais, et pourquoi est-ce que t'es en train de pleurer à cause de la musique? Pourquoi est-ce que des choses qui sont censées te faire du bien te font dégueuler maintenant, et font de toi une tapette de connard attardé qui pleure sur l'autoroute 10, alors que t'as de la musique parfaite pour un road trip, que tu t'en vas dans un chalet magnifique, dans un char magnifique avec une fille magnifique? La seule réponse, c'est que t'es le roi des cons, et tu te détestes, maintenant.

- Babe. Qu'est-ce qui se passe?
- Rien! tu hurles.

Le vent qui tape contre la Wrangler est assourdissant. Tu plisses les yeux pour bien voir la route. T'as peur de déraper, de prendre le fossé.

Une part de toi rêve de prendre le fossé.

- Babe. Respire. Prends l'accotement, veux-tu?

Ton front sur le volant. Les voitures, les camions, sur ta gauche, qui hurlent, quand ils passent, tout près.

- Y a que'que chose qui va pas, Aurélie dit.
- Je sais!
- C'est pas normal que l'école te mette dans un état comme ça.
- Je sais!
- Si t'es pas capable de let go, tu… Babe. Peut-être que t'as juste besoin d'un break.
- De quoi tu fucking parles?

Tu t'es retourné vers elle violemment. Elle a figé.

- De quoi tu fucking parles, un break? Tu veux que je lâche? Tu penses que je vas lâcher de même?
- C'est pas ce que je dis!
- Tu penses que je vas drop out comme si c'tait pas pour moi, comme si j'tais un fucking idiot qui était pas capable de me mesurer aux autres de ma section?
- Je dis pas ça, mais y a clairement que'que chose qui va pas, pis j'essaye de trouver une solution!
- Une *solution?* Toi, si je te dis de lâcher med, tu vas me fucking dire quoi? Tu vas triper, j'imagine?

Elle regarde dehors. Elle prend une longue inspiration, clairement irritée. Elle se cale plus profondément dans son siège. Tu vois son regard se poser sur toi, dans le coin de ta vision périphérique, sans te tourner vers elle. Quelque chose de sincèrement inquiet est apparu, dans son œil.

- C'est juste que je trouve ça tellement sauvage, comment vous vous traitez. Comment tu te traites toi-même.
- Mais le monde est sauvage, Aurélie.
- Pourquoi tu veux faire ça, alors?
- Quoi, ça?
- Droit. Pourquoi t'es là?
- Parce que c'est ma place.
- Okay. Pis qu'est-ce qui t'a amené là?
- Tu fais fucking chier, avec tes questions rhétoriques!
- C'est parce que c'est un rêve? C'est parce que tu rêves d'être avocat?
- Arrête! Arrête de me faire chier, Aurélie! Arrête de me parler! Arrête de fucking essayer de contrôler ma vie!
- Babe. J'essaye juste de te dire que si la raison pour laquelle tu files pas, c'est que tu te sens pas à ta place, ça serait pas grave de lâcher.
- Mais je le suis, à ma place! C'est là que je veux être!
- Où, ça?

Un dix-huit roues passe à toute vitesse, fait vibrer la carrosserie de la Wrangler. Sifflement du vent, voiles de neige, soulevés dans le champ qui se fond dans le ciel. T'arrives à respirer. Tu te calmes.

- Au top, tu dis. Pareil comme toi. Pareil comme tout le monde.
- Je suis pas en med pour être au top.
- Yeah, right.

La bouffée d'air glacial, quand tu ouvres la portière. Le soleil qui t'aveugle. Cette idée qui te traverse l'esprit : si t'avais fait quelques pas, le dix-huit roues qui s'éloigne devant t'aurait projeté à des dizaines de mètres. Aurait broyé ton corps. Tu y penses et ça te fait chaud en dedans.

Tu vois Aurélie qui s'est écrasée contre sa fenêtre. Tu restes là quelques instants, à la regarder, jusqu'à sentir tes doigts commencer à geler. Tu rembarques, reprends le volant, reviens sur l'autoroute.

- Je m'excuse, tu murmures.
- C'est correct.

Elle s'est pas retournée vers toi, a pas pris la peine d'énoncer sa réponse clairement. Peut-être que vous fourrerez pas, en arrivant au chalet.

Quelque chose en toi ramollit, chaque fois qu'un dix-huit roues te dépasse.

- Je vais te dire pourquoi je lâcherai pas droit, Aurélie. Okay?

Elle se replace dans son siège. Malaise.

- Ça fait deux ans que je dis que je veux faire droit, okay?
- Oui.
- Un an, à peu près, que je veux faire la course au stage.
- Oui.
- Le monde qui prétendent avoir des principes pis qui virent leur capot quand leurs principes leur mettent des

bâtons dans les roues, je suis pas capable. Si je suis pour jouer la game, si je suis pour dire que c'est le meilleur qui doit gagner, pis que j'arrive pas à gagner, c'est mon hostie de problème. Mais je vais pas drop out en disant que c'est pas pour moi. Si j'ai choisi de jouer rough, faut que j'accepte de manger des claques sur la gueule. Y en a du monde qui va drop out du bacc ou de la course en disant *yo c'tait un rêve de jeunesse, c'tait pas pour moi*, mais c'est ben plus facile de dire ça que dire *hey je suis poche finalement, je suis pas assez bon pour faire partie de l'élite*. Y vont dire qu'ils ont changé d'idée, qu'y aimaient mieux le communautaire, que travailler en grand cabinet c'était trop stressant, que c'tait une idée aussi conne que de dire qu'on veut devenir astronaute, quand on a cinq ans. Mais moi je pense qu'on peut pas concentrer ses énergies pendant aussi longtemps pour juste balayer ses ambitions de même. Pas quand on a un minimum d'honnêteté intellectuelle. Je pardonne pas l'échec aux autres, je vois pas pourquoi faudrait que je me le pardonne à moi-même.

- Peut-être que tu devrais le faire.
- Quoi?
- Pardonner l'échec. Aux autres. À toi. À tout le monde.
- Non, j'aime mieux pas.
- Tu sais c'est quoi ton problème?

Le mont Orford se matérialise devant vous, donnant l'impression de s'avancer vers l'autoroute.

- T'as été trop gâté, Aurélie poursuit.
- Parce que tu penses que t'es mieux?
- On parle pas de moi, là.

Tu sais qu'il y a pire, dans la vie, mais tout ça, c'est le pire que tu aies vécu, et tu sais que t'es incapable d'empathie. Tu dis :

- Pourquoi faudrait que j'accepte de faire des compromis à vingt ans, anyway?
- Parce que c'est la seule façon de se sortir de ça.

Pas exactement, non : Google est rempli de ressources.

Ça t'a procuré un plaisir presque aussi puissant que de regarder de la porn pour la première fois. Attrait de l'interdit.

On était trois jours avant le premier examen des intras. T'étais focus : t'avais commencé à consommer ton Concerta nasalement, en lignes, plutôt qu'oralement. En écrasant le comprimé, tu te débarrasses de l'enveloppe, qui assure une dispersion prolongée de la substance psychoactive. T'as accès à un high plus intense, mais plus bref : faut donc en prendre plus régulièrement, mais t'es aussi plus productif.

Tu révisais pour Obligations II. Tu considérais que t'avais assez creusé d'exemples de cas de litiges pour l'avant-midi, alors tu t'es permis de procrastiner. Plutôt que d'aller regarder Facebook, t'as googlé, par curiosité, « suicide methods ».

T'as trouvé un site avec un tableau extraordinaire, qui qualifie, avec des pourcentages, le degré d'efficacité et le degré d'agonie de différentes méthodes de suicide.

Une poussée d'adrénaline au cerveau.

Tu t'es assuré qu'il y avait personne derrière, ou dans ton angle mort. La provinciale sportive était devant toi, avec sa respiration détendue, hypnotique; elle s'arrêtait parfois pour poser une question au fif péquiste, ou à l'Italien du West Island, juste à côté d'elle.

Avec cette concentration accrue toute caractéristique de tes highs au Concerta, t'as épluché le site en détail. Chaque méthode, décortiquée avec pragmatisme : ça t'a plu.

T'en retiens qu'il faut pas s'immoler par le feu, que se pendre, c'est assez efficace, mais pas mal désagréable. Les intoxications au monoxyde de carbone, ça marche plus tellement de nos jours non plus, les catalyseurs des voitures, maintenant, ils fonctionnent très bien, les ingénieurs ont voulu limiter le potentiel létal des moteurs pour les mélancoliques. L'efficacité des armes à feu est moindre que ce que tu avais imaginé. L'idéal, apparemment, c'est un fusil à pompe scié. Tu connais personne qui ait déjà même touché à une arme. Si seulement tu étais provincial, tu aurais accès à des armes à feu. Et tu serais probablement beaucoup plus heureux. Niais et candide devant la cruauté du monde, comme la belle provinciale sportive devant toi.

Tout ce qui est pharmacologique c'est un peu difficile, d'un point de vue logistique. Sans prescription, on oublie ça, tu te magasines juste un voyage à l'urgence. Sur prescription, possible, mais encore là, faut être très précis : un cocktail mélangeant (ironiquement) un antidépresseur, Elavil, et un benzo, l'oxazépam, fonctionne assez bien, si on se gave aussi de Gravol pour pas puker, et qu'on change pas d'idée dans les douze à vingt-quatre heures que ça prend pour faire effet. Reste qu'obtenir une prescription pour tout ça, c'est assez difficile; t'auras pas d'Elavil à moins d'avoir essayé vraiment plusieurs classes d'antidépresseurs avant ça, et les benzo, les médecins s'en tiennent loin, avec raison, ça rend les gens complètement cons, ils deviennent accros et ne pensent qu'à ça : des larves humaines.

Évidemment dans un monde idéal y aurait les barbituriques, mais à moins de faire un raid dans la pharmacie d'un vétérinaire, y aura aucune façon de trouver du pentobarbital au Québec : ce sont les seuls qui ont le droit d'en tenir. C'est ce qu'ils utilisent en Suisse, aussi, pour les humains. Tu sais pas si c'est possible de se faire l'injection létale au complet soi-même, sans s'évanouir avant que ça fasse effet. Ton entrée la plus probable pour obtenir des médicaments sur prescription serait tes parents ou, dans une moindre mesure, Aurélie : avenue impossible, donc. Dans un monde idéal, tu serais en Suisse, et ce serait peut-être plus facile de mettre la main dessus.

Dans un monde idéal, tu serais pas en train de te magasiner un suicide.

Les moyens plus clichés, le pont Jacques-Cartier par exemple, tu sais pas, y a trop d'impondérables. Le métro, c'est une formidable façon de devenir quadriplégique : ils ont ralenti la vitesse d'arrivée des wagons, dans les années quatre-vingt. Les autorités de la santé publique croient réussir leur mandat quand ils diminuent le nombre de morts par suicide, mais ils comptabilisent pas les gens qui se ratent et mènent une vie de cul-de-jatte par après. Leur désespoir augmente de manière exponentielle, et le désespoir coûte cher à l'État. Les comptables et les ministres des Finances devraient être partisans du suicide assisté.

Pas trop clair, donc, quelle méthode choisir. Sans compter qu'il faudra trouver un endroit. Tu pourrais le faire dans ta voiture, idéalement assez loin de la maison. La maison deviendrait invendable, si tu faisais ça là, et t'es pas mal certain que tes parents vont vouloir vendre, après ta mort.

Idéalement un endroit qui n'ait absolument aucun sens, qu'on ne puisse pas tenter d'extraire un message de ton suicide. Se comporter de façon normale, dans les jours le précédant : à la fois pour que personne ne se doute de quoi que ce soit, et pour que personne ne soit capable de décrypter les raisons de ton départ, après coup.

Pourquoi trouver une raison. Ça va de soi : ça te plaît plus, d'être en vie, alors autant prendre les moyens d'arrêter. Les gens, trop souvent, essaient d'insuffler du sens dans les choses qui en ont le moins. Comme la mort.

Rien de clair, donc, pour l'instant : ni le lieu ni la méthode.

En attendant de trouver, étudier : les intras arrivent, c'est pas le moment de se pendre.

T'es allé dans un salon funéraire deux fois. Une fois à quatre ans pour ton grand-père paternel et tu t'en souviens juste parce que t'as pissé dans tes culottes, et une fois à six ans pour ta grand-mère paternelle et c'était quand même pas pire parce qu'il y avait une salle pour chiller dans le sous-sol où il y avait une distributrice de Coke vintage, et en tétant du change à tes parents et à tes oncles, t'as réussi à t'en payer quatre : un de tes premiers highs, sur un mélange de sucre et de caféine.

T'as pas vraiment de souvenir de ton grand-père sauf qu'il était strappé à une chaise roulante, pis ta grand-mère elle était alzheimer avancée, ça t'écœurait beaucoup parce qu'il fallait lui donner des becs sur les joues mais elle bavait beaucoup pis sa peau était froide pis molle comme du jambon tranché.

Des deuils, t'en as pas fait beaucoup, même que t'en as pas fait du tout, et là tu serais supposé savoir faire le deuil de toi-même.

Tu te souviens que le moment où le concept de mort est apparu dans ta vie, c'était autour de ces moments-là. Tu te souviens que tes parents te l'ont expliqué avec des livres d'anatomie pour enfants, t'ont parlé du cœur, de la respiration, de l'activité cérébrale. Tu te souviens avoir très bien compris : t'étais déjà pas mal wise. Quand tu as demandé ce qui arrivait après, ils se sont regardés, t'ont demandé d'attendre, sont sortis du salon. Tu les as entendus murmurer dans le corridor. Ils sont revenus et l'un d'eux a dit « rien ».

Les croyants souffrent moins de dépression que les athées, statistiquement.

Tu dois faire le deuil de toi-même mais tu acceptes ton sort, quand même.

Trop de gens essaient de se croire plus forts que la sélection naturelle. Si l'idée t'es venue de te donner la mort, il doit y avoir quelque chose de déréglé, chez toi. Ta mort fait partie d'une équation plus grande. Toi mort, y aura pas de descendance pour hériter de tes cellules déréglées. C'est ta maigre contribution. Comme celle de combien de spermatozoïdes morts, de combien de bébés nés difformes, mal adaptés, qui ont pu laisser les rois de la jungle régner. L'humanité se portera mieux grâce à ta mort. Pas que l'humanité ait vraiment de sens : tu t'en fous un peu. Seulement, si on admet que la vie est absurde, et qu'en plus on se fait chier à vivre, tu vois pas l'intérêt de continuer. La vie n'a pas de sens et t'as plus de plaisir, alors bye.

De toute façon il y aura la crise du pétrole, les réfugiés climatiques, les bactéries résistantes aux antibiotiques, les sécheresses grilleront les champs et la montée du niveau des eaux engloutira New York, les océans deviendront stériles et le désert gagnera du terrain, les forêts vont brûler, un écran de fumée empêchera la chaleur de s'échapper, il y aura la salinisation des réserves d'eau potable et son trafic subséquent, il y aura des pirates, encore plus de terroristes et plusieurs guerres civiles, il y aura ceux qui demandent asile et ceux qui le leur refusent, on se battra pour les quelques kilomètres carrés où le temps est bon et la terre fertile, il y aura du sang, des cris, des larmes, il y aura l'effondrement du capitalisme, il y aura la néoféodalité, il y aura le retour du troc, il y aura les huttes, il y aura les guerres menées à coup de bâtons et de pierres, il n'y aura plus de terres arables, il n'y aura plus de viande à chasser, il y aura quelques individus, il n'y aura plus d'individus, et dans soixante millions d'années, les descendants des coquerelles d'aujourd'hui qui auront survécu à tout ça feront des musées avec nos fossiles, et des dessinateurs coquerelles tenteront de concevoir maladroitement ce que nous aurions pu être alors, il y aura un film dans lequel un scientifique coquerelle tente de faire renaître un humain à partir d'un bout d'ADN contenu dans un moustique figé dans un morceau d'ambre, il y aura des jouets à notre effigie, puis les coquerelles elles aussi provoqueront l'effondrement de la biosphère, et alors ce sera le règne des poissons intelligents, ils peupleront le fond des océans, puis un jour le Soleil gonflera et grillera la Terre et il pleuvra du feu et il ne restera plus personne pour tenter de découvrir ce que nous avons pu être alors, à un moment précis, à un endroit précis, une fenêtre minuscule de quelques milliers d'années à laquelle nous aurons accordé tellement d'importance et qui se sera révélée, au bout du compte, être moins que fuck all.

Non, vraiment, à cette échelle tu vois pas la différence entre mourir maintenant et mourir dans cinquante ans.

Même que tu les plains, ceux qui sont assez stupides pour croire que tout ça a un sens.

T'étais en train de finir de souper avec Papa et Maman et Aurélie t'a texté pour te demander de descendre au sous-sol, dans la salle de lavage. Tu lui aurais bien concédé que oui, la maison est grande, mais elle a tout de même la voix qui porte, Aurélie, même si elle a une petite voix de fausse petite Française, et donc elle aurait pu crier, ou monter et te demander de descendre, mais elle t'a texté.

Les salles de lavage sont rarement des endroits choisis pour des réunions au sommet, des entretiens d'importance, et pourtant c'est là qu'elle te convoque, et tu te demandes ce qui a bien pu se passer pour qu'elle te convoque, comme ça, presque officiellement, sans remonter les escaliers, ni même t'appeler, et tu descends la rejoindre.

Aurélie est debout dans la salle de lavage. Ses muscles sont bandés et elle tremble. Sa respiration est hésitante. Ses yeux sont remplis d'eau et t'implorent de lui dire que tout ça est jamais arrivé. De revenir cinq minutes plus tôt, à la table, et de la retenir quand elle va pour descendre. Mais t'as pas ce pouvoir. T'arrives pas à avancer plus loin que le cadre de la porte de la salle de lavage, pour la calmer. La rage d'Aurélie te tient à distance et dilate les proportions du monde. La salle de lavage est gigantesque, maintenant. Des mètres géants vous séparent et s'allongent à chaque seconde de silence. Tu vois Aurélie en tunnel devant toi. Les murs autour, comme un corridor qui s'étire, et qui la projette toujours plus loin de toi, à chaque instant qui passe. Derrière elle, la porte du petit débarras est ouverte. Ce débarras que personne utilise jamais. Sauf toi, récemment, pour cacher l'exit bag que tu avais acheté sur Internet, en prévision de te tuer. L'exit bag se trouve maintenant serré dans le poing droit d'Aurélie.

T'aurais préféré qu'elle trouve une capote suspecte, un texto incriminant, n'importe quoi qui trahisse, par exemple, une infidélité : elle aurait certainement mieux réagi. Mais la découverte d'un exit bag pose un problème épineux, au point de vue des relations humaines : il provoque la tristesse, la colère et le désarroi, donc entraîne des réactions violentes, mais il indique aussi que, si on réagit mal, la situation pourrait possiblement devenir pire, voire fatale. C'est insoluble.

Dans tes recherches sur les « suicide methods », tu as vu un court documentaire produit par Vice sur les exit bags. Des *sacs de sortie*. T'as aimé la pudeur du nom. Le design peut varier d'un fabricant à l'autre, mais ce sont tous des sacs de plastique, assez gros pour envelopper une tête humaine, avec une cordelette pour les resserrer autour du cou afin qu'aucun air ne passe. Ils ressemblent un peu aux sacs que donnent les Mac Genius quand on achète un MacBook ou un iPad. Une petite valve sur le sac sert à brancher un tuyau, lequel doit être relié à une bonbonne de gaz rare. On suggère de l'azote, de l'hélium ou de l'argon. En respirant un gaz rare à l'état pur, on perd connaissance en deux ou trois secondes, sans douleur. Une fois qu'on est inconscient, le sac de plastique provoque la suffocation, et on est mort en quelques minutes, sans souffrance, sans effusion de sang, et sans possibilité d'annuler le projet, une fois qu'il est entamé. La panacée des mélancoliques.

Dans le docu de Vice, une femme atteinte d'une maladie dégénérative racontait le plus naturellement du monde comment elle allait procéder : assise sur son divan, dans son salon, avec ses deux petits chiens. C'était d'une candeur désarmante.

T'as trouvé un fabricant canadien d'exit bags, basé à Vancouver. Le site assurait une livraison et un emballage « stealth ». C'est arrivé chez toi en trois jours, dans une enveloppe discrète en plastique blanc.

Un fournisseur de produits de brassage de bière qui vend surtout aux microbrasseries, mais qui accepte les commandes de particuliers, t'a assuré que t'as qu'à passer à son entrepôt de ville Saint-Laurent pour obtenir une bonbonne d'azote.

L'exit bag pendouille mollement de la main d'Aurélie, légèrement balancé par ses tremblements.

- C'est quoi, ça?

Tu hausses les épaules.

- Si tu savais pas ce que c'est, tu serais pas dans cet état-là, tu dis.
- Je sais ce que c'est.
- Faque t'as ta réponse.

Elle se mord les lèvres. T'as peur qu'elle se rende au sang.

- Pourquoi t'as ça? elle demande.

Gêné comme un écolier qui se fait semoncer par sa prof de primaire. Son ton aide pas, mettons : elle est accusatrice et légèrement infantilisante. On le serait à moins, cela dit.

- Y a juste une raison pourquoi le monde achète ça, tu dis en n'arrivant à regarder que le sol.

Elle serre les dents, retient une vague qui part du bas de son ventre. Son poing se resserre sur l'exit bag. Elle est presque aussi bonne que toi pour se retenir de pleurer, Aurélie.

- Là je vais te poser des questions, pis je veux pas que tu me dises que je fais de la déformation professionnelle, okay?
- Okay?
- Je suis ta blonde.
- Oui.
- Pas ton médecin.
- Anyway t'es juste en pré-med, tu serais pas super utile.

Ses yeux disent, très précisément, *je veux absolument pas te froisser, mais veux-tu fermer ta putain de gueule avec tes remarques de smart-ass*. Sa bouche dit :

- Mais…
- Oui?
- As-tu…
- Oui?
- Un plan?
- Oui. M'étouffer avec un exit bag pis une bonbonne de gaz. Je pensais que c'était évident.

Aurélie est presque aussi bonne que toi pour se retenir de pleurer, mais pas tout à fait. Elle craque, mais le fait discrètement. Un mince ruissellement, sur ses joues, et juste un filet d'air qui s'échappe de sa bouche.

- J'ai pas eu le temps d'acheter la bonbonne d'azote, si ça peut te rassurer, tu dis.
- Okay.
- Faut aller virer à ville Saint-Laurent.
- Okay.

C'est étrange, de parler à cette distance. Elle s'est appuyée contre le mur. T'es toujours debout, sous le cadre de la porte.

- Ça fait combien de temps? elle demande.
- Que?
- Que tu veux faire ça.
- Deux mois, à peu près.

- Deux mois. T'as pas pensé que ça pourrait peut-être te passer?

- Non. J'ai pensé au fait que j'avais le goût de me tuer, principalement. Si je pensais que ça finirait par passer, je serais pas assez con pour envisager de me tuer.

- Qu'est-ce qui – Pourquoi tu –

Elle arrive pas à finir ses phrases. Sa respiration bloque avant.

- Je trouve que ça a du sens, tu dis.

Puis, parce que t'as l'impression qu'à parler à mots couverts, vous perdez du temps, tu précises :

- C'est la chose la plus logique à faire, me suicider.

Le nom de la chose la fait réagir aussi fort que la chose elle-même. Elle est saisie d'un autre appel d'air involontaire, s'enfonce dans le mur.

- Tu me fais vraiment peur.

- Je m'excuse.

- Est-ce que tu m'aimes encore?

- Ça a pas vraiment rapport.

- Est-ce que tu m'aimes encore?

- Oui. Si je t'aimais plus je ferais juste te laisser, j'essayerais pas de me tuer.

Un silence. Elle secoue la tête, la bouche ouverte; sa mâchoire essaie d'articuler deux trois syllabes, mais elle y arrive pas.

- Je sais pas si ça va te rassurer mais c'est pas comme si c'était là constamment dans ma tête. Au sens où… je me lève pas tous les jours avec la même envie de me tuer. Des fois je me lève pis j'y pense même pas. Pis ça me pogne pendant que je suis dans mon char pis que je me rends à l'université. Ou que je suis dans' douche après l'entraînement pis que l'endorphine kick in, pis que je me remets à penser. Des fois y'arrive une affaire qui est pas à mon goût pis je voudrais aller me suicider dans l'heure, une affaire conne comme attendre trop longtemps pour m'acheter un café, ou que ma place habituelle soit prise dans une classe. Des fois je passe presque une bonne journée, mais je me dis que ça a pas vraiment de sens, tout ça. Je veux dire que je me dis que même les affaires qui me font un genre de plaisir, même si je peux plus vraiment appeler ça du plaisir, ces affaires-là ont plus vraiment de sens. Ça devient de la frime, comme. Dans ces moments-là, c'est plus tellement une urgence, de me tuer, mais ça reste certain pour moi que je vais mourir comme ça. C'est comme pour l'exit bag, là. Quand je l'ai commandé, j'étais vraiment à terre, j'étais vraiment à bout. Je voulais me suicider drette quand j'ai cliqué sur *Acheter*, mais fallait que j'attende le temps de livraison. Pis quand je l'ai reçu, le sac, je me suis dit, oh, c'est une bonne journée aujourd'hui, c'est sûr que ça va servir un jour, mais peut-être pas tout de suite, peut-être pas aujourd'hui. Est-ce que tu comprends?

Tu te rends compte que t'es étonnamment relax, à parler de tout ça. De l'extérieur, ça peut avoir l'air très lyrique, vouloir se tuer, mais y a beaucoup de considérations pratiques.

- Je pense pas que je comprends, non, elle marmonne.
- T'as jamais eu envie de te tuer?
- Non.
- T'es chanceuse. Dans le fond, je pense que j'aurais pas compris, moi non plus, avant y a deux mois.
- Mais pourquoi je suis pas au courant de ça?
- Parce que je te le cachais.
- Je veux dire, je savais que t'étais triste, mais... À ce point-là?
- Ben c'est sûr. Je suis bon pour cacher des affaires.

Elle voudrait peut-être crier, mais se contente de demander :

- Qu'est-ce qui va pas, au juste?

Tu veux pas critiquer l'approche d'Aurélie, et elle est sous le choc, donc très certainement pas à son meilleur, mais il te semble que cette question aurait dû être posée pas mal plus tôt dans la discussion, même si tu veux pas répondre, la réponse étant à la fois d'une simplicité gênante et épouvantablement tentaculaire : tu ne peux pas dire « j'ai eu 3,12 de GPA et maintenant je veux me pendre », parce que c'est extrêmement couillon, même si c'est un peu la vérité.

- Ce que t'as dit, concernant mon GPA, tu te souviens?
- Quoi?
- T'as dit que c'était rien, dans l'histoire de l'univers.

Elle hoche lentement la tête. Tu continues en essayant d'attraper son regard :

- C'est ça que t'as dit.

- T'es en train de dire que c'est ma faute?

- Depuis que t'as dit ça, je… Je trouve que les affaires ont pus de sens. J'arrive pus à…

Elle est en train de t'avoir. Tu sens ton diaphragme qui ramollit, au fond de ton ventre. T'essaies de te ressaisir. Peut-être que tu la frapperais, si elle était à ta portée. Mais ça compliquerait encore plus une situation déjà, mettons, cauchemardesque.

- Quand je me mets à penser à ce qui me met à l'envers, Aurélie, je pogne comme un vertige –

- Mais qu'est-ce qui te met à l'envers? T'as tout –

- Un vertige que je pogne, c'est comme, comme si je peux même pas regarder mes mains, mon téléphone, mon char, parce que je vois tout comme si je regardais de loin, comme, à des années-lumière, comprends-tu –

- T'es beau, t'es fucking intelligent, t'as du cash, t'as des amis, t'as tout ce que tu pourrais vouloir, pis je sais pas si ça compte encore pour toi mais t'as une blonde qui t'aime –

- C'est comme si tout ça, ça, ça a pas de sens pis ça peut pas en avoir, parce que ce qui compte, tout ce qui compte, c'est ce qui va rester au final, dans des années, dans des milliers d'années –

- Est-ce que t'entends ce que je te dis? Je t'aime –

- Tout ce qu'on pense qui est important, des grosses affaires aux petites, le gouvernement pis le hockey, les satellites pis les couteaux au silex, l'agriculture pis les coupes de cheveux, les chants grégoriens, le Boxing Day, c'est que tout ça premièrement dans l'histoire du monde c'est –

- Pis t'as même pas idée à quel point si le monde avait le choix y serait toi, tout le monde voudrait être toi –

- Tout ça dans l'histoire du monde c'est rien! C'est rien! C'est un battement de paupière, pis on a l'impression que c'est gigantesque! C'est toi qui l'as dit! Tu l'as dit toi-même! Sauf que j'arrive pas à m'intéresser à autre chose que des conneries comme, comme, comme, je sais pas moi, comme mes fucking notes à l'école, pis des conneries comme ça arrivent à me mettre à l'envers plus que n'importe quoi d'autre, pis si ça me met à l'envers, c'est peut-être parce que c'est moi, le problème, non? Si y a des milliards de personnes qui arrivent à vivre sans que les petites affaires les fassent paniquer, peut-être que je suis né avec, comme, une faiblesse? Comme si c'était pas vrai que j'étais privilégié, finalement? Comprends-tu? Plus je panique sur les petites affaires, plus j'ai le goût de me tuer, pis plus j'ai le goût de me tuer, plus je panique sur les petites affaires! Plus je veux me tuer, plus je travaille fort pour avoir des bonnes notes, est-ce que ça a un genre de sens pour toi? Je suis malade mental! Je laisse trop d'affaires me rendre complètement fou pis me donner le vertige, pis c'est ça qui va me tuer parce que de toute façon, on l'a vu, on l'a vu en bio, Aurélie, la seule chose qui va compter au bout du compte c'est nos gènes, c'est ce qu'on va avoir laissé en héritage, pour marquer l'histoire faut naître survivre pis procréer, pis sans ça, c'est futile, d'un point de vue macroscopique c'est futile, tu dis que tu m'aimes mais ça veut rien dire anyway, parce que dans l'histoire de l'humanité faut avoir fait des enfants pour faire partie du projet, la seule chose qui compte dans le fait que tu m'aimes c'est si on finit par avoir des enfants, mais même là, même là c'est futile parce que l'humanité c'est quoi hein, c'est juste une couple de milliers d'années, dans l'histoire de l'univers c'est des crottes, les coquerelles vont survivre ben plus longtemps que nous, pis même les coquerelles, hein, c'est quoi les coquerelles, sont pas mieux que nous, même si y survivent aux guerres nucléaires pis aux époques glaciaires pis aux réchauffements, même la vie des coquerelles sur Terre c'est presque rien, pis de toute façon dans des années dans des milliards d'années le Soleil va devenir gros gonfler pis griller la Terre pis l'univers va se replier sur lui-même pis tout ça aura été rien, tu comprends? L'univers va arrêter de grossir à un moment donné pis y va se replier sur lui-même comme un élastique qu'on a étiré pis qui reprend sa forme originale mais sa forme originale le sais-tu c'est quoi sa forme originale? C'est rien. C'est le rien. C'est tellement freakant quand tu y penses.

Aurélie a repris possession de ses moyens. Elle s'est détendue. S'est approchée de toi. S'est agenouillée devant toi.

- Babe, je veux que tu m'écoutes.

T'avais pas remarqué, mais tu t'es écrasé contre le cadre de la porte et tu t'es assis par terre. Tu sais pas comment tu vas faire pour te relever, mais il va falloir que tu te relèves parce qu'il y a l'école demain et y a peut-être mille autres étudiants en droit qui sont plus amochés que toi mais qui, eux, vont se botter le cul et y aller, à l'école, et qui, eux, auront un bon GPA. C'est pas parce que tu vas te suicider que tu vas leur donner le loisir de triompher.

Aurélie te parle avec la circonspection de quelqu'un qui est en train de désamorcer une bombe avec ses dents, les yeux fermés.

- Tu vas pas bien. Tu vas vraiment pas bien. Je pense que t'es pas en mesure de prendre les bonnes décisions pour toi. Faut que tu voies quelqu'un, elle dit.
- Quoi, qui?
- Un psychiatre.
- Pas ma mère, please.
- Non, non, pas ta mère. Surtout pas ta mère.
- Je veux pas être hospitalisé, tu dis. On peut-tu s'arranger pour que je sois pas hospitalisé?
- Babe…
- C'est parce que j'ai pas assez performé que je me sens de même pis si je rentre à l'hospit pis que je rate une semaine d'école je suis foutu. Je suis foutu. Faut que je monte mon GPA cette session-ci.
- Je sais pas ce qu'y te faut. Je…
- Je vas devenir fou si je m'entoure de fous.
- Babe. Y'est pas question de ça pour le moment.
- Y'a une psychiatre à l'UdeM, pour les étudiants. Ça doit pas être si tough d'avoir un rendez-vous, non? Tu vois, là, je le reconnais, que j'ai un problème, je prétends pas le contraire, mais je veux pas tout foutre en l'air juste parce que j'ai le goût de me pendre pis que c'est pas correct de se pendre, je veux dire y en a des milliers de personnes qui ont le goût de se pendre, partout, tout le temps, right? Right? Pis ce monde-là y finissent par

fonctionner correct, non? Pis on les enferme pas toutes à Louis-H, non?

Des bruits de pas dans l'escalier : Papa. Il s'arrête au milieu des marches.

- Qu'est-ce que vous faites?

Tes yeux qui ordonnent à Aurélie de se taire.

- Aurélie cherchait un de ses t-shirts, dans le lavage, mais elle le trouve pas.

Ton père est trop loin pour voir quoi que ce soit.

- Oh, il dit.
- A' pensait que Maria l'avait mis au lavage par erreur.
- Je vais lui demander, si vous voulez. Elle vient demain. Il a l'air de quoi, le t-shirt?

Tes yeux qui ordonnent à Aurélie de bullshiter. Elle dit :

- C'est… euh… juste… un t-shirt blanc. Simple.
- Okay. Vouliez-vous du dessert?
- No thanks, tu dis.
- Non merci, Aurélie dit.
- Okay!

Et il remonte, doucement, insouciant, sans, tu l'espères, la moindre idée de ce qui s'est tramé dans la salle de lavage.

- Ça serait cool que t'en parles pas à mes parents.
- Babe…
- Ça serait cool que t'en parles à personne.

Elle murmure :

- Est-ce que t'as idée de la situation dans laquelle ça me met, ça?
- Est-ce que tu m'aimes?

Elle soupire.

- Qu'est-ce que tu foutais à fouiller dans le débarras anyway? tu dis.
- Ta mère m'a dit que les vieux albums photo étaient là. Je voulais une photo de toi bébé, pour te faire une carte de fête.

Et c'est là que tu pleures pour vrai.

Aurélie aussi a été folle, à une époque; elle était anorexique, à Stanislas, c'est d'ailleurs de là qu'elle tient sa silhouette magnifique. Elle aussi voyait un psychiatre, et une psychologue, et elle non plus a pas été hospitalisée, ou si peu, une nuit ou deux, à Sainte-Justine, avec des filles qu'on attache à leur lit pour les empêcher de faire des abdos pendant la nuit, alors elle te juge pas d'être malade mental. C'était la faute des filles de volleyball, qu'elle dit : des filles nues ensemble, ça se scrute et ça retient tous les défauts de tous les corps, autant que le corps d'une athlète de quinze ans puisse avoir des défauts, et puis quand il y a une absente, elle passe au cash, indépendamment de qui c'est, suffit qu'une fille soit absente pour qu'on ait envie de la démolir, on rit de son gros cul, de ses cuisses trop flasques, de ses épaules trop musclées, de ses bras trop maigres, et ça les rend toutes folles, invariablement, et alors l'une d'entre elles, Aurélie, en l'occurrence, s'évanouit au beau milieu d'un set en jouant contre le collège Bourget, et tout le monde se demande pourquoi, et une des filles de l'équipe qui la hait particulièrement est heureuse de révéler qu'Aurélie a rien mangé depuis la veille, et que son dernier repas, c'était quatre branches de céleri et un concombre entier.

Alors les parents d'Aurélie lui paient la psy, et lui font voir un psychiatre, et tout rentre plus ou moins dans l'ordre, sauf qu'encore aujourd'hui Aurélie est incapable de passer plus d'une quinzaine d'heures sans se faire suer, et que tu la sens toujours estimer les calories que contiennent les plats qu'on dépose devant elle. En même temps, Aurélie est super chaude et tu l'aimes comme ça.

T'as réussi à avoir un rendez-vous avec la psychiatre de l'UdeM dans deux semaines, après avoir obtenu une référence du médecin de famille de l'université. C'est terriblement long, mais ça l'aurait été encore plus au public, à moins d'avoir une référence de tes parents (lol), et, comme la carte de crédit est celle de Papa, passer par une clinique privée était pas vraiment envisageable non plus, si tu voulais rester le moindrement discret. La bonne chose dans le fait de voir une psychiatre, c'est que tu pourras lui demander une prescription pour du Concerta, plutôt que de devoir te fournir chez l'Italien du West Island, qui pourrait te chier dans les mains à tout moment, puisque personne est fiable, en ce monde.

Tu t'es booké la psy qu'Aurélie voyait du temps de Stanislas pour dans trois semaines. Ça te semble loin, trois semaines. C'est bien, parce qu'au fond t'as pas vraiment envie de la voir pour vrai. Tu comprends pas ce qu'elle pourra faire pour toi. C'est pour la forme.

La psychiatre de l'université dégage la chaleur humaine d'un cadavre.

- Vous venez me voir pour quoi?

La question est tellement générale que t'en restes bouche bée : pourquoi, exactement, es-tu là, vraiment?

- Ma blonde pense que je suis dépressif.

Elle fait oui de la tête, les sourcils froncés, surprise, ou peut-être fascinée. Elle poursuit avec une évaluation psychiatrique qui ressemble plus à une liste d'épicerie, inscrivant sur son ordinateur les réponses à divers énoncés, levant les yeux vers toi de temps à autre : depuis combien de temps es-tu déprimé, est-ce survenu à cause d'un événement particulier, combien de consommations d'alcool bois-tu par semaine, fais-tu de l'activité physique, dors-tu correctement, es-tu anxieux, as-tu des amis à qui parler, consommes-tu de la drogue, as-tu des pensées suicidaires, as-tu un plan, as-tu choisi une date.

À chaque question posée, tu sais pas quoi répondre, comme si t'avais pas étudié pour un examen. Les informations sur toi te semblent étrangères. T'es trop déconnecté pour que ça ait du sens, de répondre à ses questions. Tu dois plonger en toi, en apnée, pour chercher, et quand tu trouves la réponse, tu te rends compte qu'au fond, la psychiatre sait pas du tout si tu mens, et alors tu peux très bien slalomer entre ses pièges, dire ce qu'il faut pour obtenir ce que tu veux, mais pas plus. Obtenir, par exemple, une prescription pour des anxiolytiques, mais pas une hospitalisation à Louis-H. Parler à une psychiatre, à certains égards, peut beaucoup s'apparenter à plaider devant un jury, ou à rédiger un contrat d'acquisition corporative : c'est la façon de manier la langue, plus que le contenu de ce qu'on dit, qui détermine la capacité à obtenir ce qu'on veut.

Tu lui dis oui, donc, aux pensées suicidaires, et oui, ton choix s'est arrêté sur une méthode, et tu la sens se braquer quand tu parles avec précision de l'exit bag; tu évites donc l'internement à Louis-H en disant ne pas avoir acheté d'exit bag et en restant flou sur la date, en disant que tu y penses parfois, mais que tu repousses, ce qui est vrai, au fond.

- Prenez-vous d'autres médicaments?

Tu sens le regard d'Aurélie par-dessus ton épaule, au loin, très loin, depuis chez elle, ou l'école, qui te dit que ce serait mieux de dire la vérité.

- Oui. Du Concerta.
- Vous souffrez de TDAH?
- Non. Je prends ça pour étudier.
- Vous l'avez eu sans prescription?

- Oui.

Elle se cale dans son siège, enlève ses lunettes.

- Vous savez que c'est une mauvaise idée. Je vous apprends rien, j'imagine.

Un brin d'exaspération. Soudain elle te parle comme si t'étais un vrai être humain. Ça te déplaît pas.

- Oui. Mais j'en ai besoin, pour étudier.
- Vous étudiez quoi?
- Droit.

Elle soupire, hoche la tête. Quelque chose comme de la pitié, dans ses yeux. Elle est intelligente, de toute évidence : elle comprend.

- Évidemment, elle dit.

Un soupir, encore.

- Vous savez que ça fait partie de la liste des effets secondaires, l'anxiété, pis possiblement la dépression?
- Non, je savais pas. Mais j'allais déjà pas bien quand j'ai commencé à les prendre, je pense pas que c'est relié.
- La seule chose que je peux vous dire, comme médecin, c'est d'arrêter ça.
- Okay.
- Mais je vais vous prescrire des antidépresseurs pis des anxiolytiques.
- Okay.

- Pis du Imovane, pour dormir, vu que vous dites que vous avez du mal à dormir.

Justement ce que suggérait Cousin Fred.

- Je comprends que vous vivez beaucoup de pression, mais le Concerta, ça vous aidera pas avec ça. Ça va juste vous stresser plus. Dans un monde idéal, vous prendriez pas ça.
- Mais on n'est pas dans un monde idéal.

Celexa, Rivotril, Imovane : pas le temps de niaiser.

La psychologue d'Aurélie est encore plus insupportable que la psychiatre de l'UdeM. Elle réussit à dégager à la fois trop de mièvrerie et une froideur de mort, et te donne la très malheureuse impression d'être moins intelligente que toi. C'est pas le premier individu comme ça que tu croises, dans ta vie, et ce sera pas le dernier.

- Pourquoi vous êtes ici?

Un sourire retenu, ou paresseux, c'est pas trop clair, le mobilier scandinave, le lustre d'artisan, la bibliothèque remplie de philosophes allemands, le look madame bobo semi-décontract' noir et blanc, la teinture de cheveux conservatrice mais impeccable : pas de doute, t'es bien à Outremont.

Elle laisse des silences de mort interminables, et tu regardes par terre, et dehors, et tu t'arrêtes au milieu d'une phrase. T'as commencé à bégayer, à chercher tes idées, parfois. C'est comme si ton cerveau restait collé sur une paroi, après avoir tournoyé comme dans une sécheuse. Tu sais pas si ça a rapport, mais ça a commencé pas longtemps après que t'as commencé à prendre le Celexa tous les jours. Aucun effet sur ton humeur, par contre : t'as autant envie de te lever chaque matin que de te faire amputer un membre à froid.

Tu finis par parler juste pour briser le malaise, le silence que la psy crée étant plus insupportable que l'interaction avec elle. C'est peut-être le fondement de sa technique, rendre le silence tellement malaisant que parler devient la seule option. Ça, et aussi le fait de charger cent vingt de l'heure : à cent vingt de l'heure, tu te sens pas mal con si tu gardes le silence en regardant le tapis persan pendant soixante minutes.

Tu parles, de l'école, d'Aurélie, et la psy réoriente toujours la discussion vers tes parents. Droit : parents. Sexualité : parents. Vacances : parents.

Tu trouves ça assez con, et tu te lasses assez vite. Tes parents sont problématiques, certainement, ça tu l'as compris depuis longtemps, mais ils le sont certainement pas plus que pas mal d'autres parents. C'est cliché, tu trouves, tout mettre sur le dos des parents.

Parfois, tu essaies d'aller chercher, en creusant à l'intérieur de toi, l'état dans lequel tu es quand tu te retrouves au volant de ta Wrangler, lorsque tu hurles et que tu sens tes intestins se sectionner, que tu brailles et que tu morves. Ce serait beaucoup plus parlant que d'essayer pendant soixante minutes de lui expliquer froidement comment tu te sens.

Mais rien. Rien : tes yeux sont secs et les mouvements de ton diaphragme sont réguliers, tu parles posément et tes gestes sont mesurés. Tes moments de crise n'apparaissent qu'en récit, froidement, donc de manière complètement inutile. Tu croyais que les bureaux de psy, c'était l'endroit où explosaient les pulsions, les émotions brutes. Il y a une boîte de mouchoirs de bonne qualité, avec de la lotion d'aloès imprégnée dans le papier, pour éviter l'irritation : ça doit servir, ça peut pas être que de la parure.

Après quelques semaines, elle arrive à un constat. C'est presque la première fois qu'elle prend la parole. Elle dit que tu souffres d'une grosse pression de performance, sûrement à cause de tes parents.

Non, vraiment, connasse?

Ça fait un certain temps que t'as commencé le Celexa. Ta seule confirmation que tu t'es pas fait prescrire un placebo apparaît assez platement, un soir où toi et Aurélie avez brisé une séance d'études de deux heures sur la table de la salle à manger de tes parents pour vous récompenser avec un verre de vin (contre-indiqué, par ailleurs, avec le Celexa), un jasnières franchement très bon, sorti de la cave à vin de Papa.

Vous vous êtes écrasés sur le divan avec la bouteille; t'as atteint ce doux mélange d'épuisement et d'ivresse qui te fait oublier, parfois, que t'as encore régulièrement envie de te tuer. Tes parents étaient couchés et de toute façon tu te foutais un peu du reste du monde; t'as pratiquement arraché le t-shirt d'Aurélie pour manger ses seins, puis son jogging des Carabins pour manger sa chatte, malgré ses supplications de la descendre dans la chambre, et c'est quand elle t'a poussé sur le dos pour te sucer que tu t'es rendu compte que ton pénis était lamentablement mou.

Elle s'est arrêtée dans son élan, haletante, a regardé ton visage, puis ton sexe. Elle a haussé les épaules :

- Ça arrive, j'ai lu. C'est… répertorié.

T'as fait un oui de la tête. T'as compris le sens du mot
« émasculé », soudain.

T'es retourné voir la psychiatre.

- On va essayer de voir avec le Cipralex si vous réa-
gissez mieux. Ce serait dommage, à votre âge, perdre
votre vigueur.

*Vigueur.* Tu apprécies sa manière de manier l'euphémisme.

- Vous allez mieux, au moins?
- Je sais pas.
- Vous avez encore des pensées suicidaires?
- Évidemment.

Ce hochement de la tête qu'elle a eu, quand tu lui as
dit que tu étudiais en droit, à votre première rencontre.

- Peut-être que c'est pas chimique, mon problème, tu
ajoutes.

Elle pince les lèvres.

- Vous savez que je peux pas abonder dans votre sens.
- Je sais. Mais je peux pas croire que tout le monde qui se
pend, dans la vie, le fait parce qu'ils ont des problèmes
chimiques dans le cerveau.

L'affiche détaillant l'anatomie du cerveau humain, sur
le mur à côté.

- Y a des fois où c'est peut-être une réponse réfléchie à des problèmes desquels on peut pas se sortir, tu continues.
- Les problèmes dont les patients dépressifs viennent me parler, c'est très souvent des problèmes assez faciles à régler, mais ils voient juste pas la solution, vous savez.
- Des problèmes philosophiques, je veux dire. Existentiels. J'arrive toujours à un cul-de-sac, quand je me mets à penser à pourquoi on est ici. Quand je me mets à penser au fait qu'y a pas vraiment de sens à pourquoi on est ici.

Il y avait déjà trois patients qui attendaient, avec toi, dehors : ta consultation est probablement beaucoup plus longue qu'elle devrait l'être.

- Vous savez que je peux juste voir ça d'un point de vue médical.

Elle semble soucieuse, en disant ça. Les yeux légèrement plissés, les sourcils froncés : un exemple idéal de l'*empathie* tellement préconisée par les théoriciens de la relation d'aide. Celle-là même dont t'es absolument incapable.

- Je sais, tu conclus. Je réfléchis à voix haute.
- Peut-être que, dans votre cas, c'est juste pas une bonne idée.
- Quoi, ça?
- Réfléchir.

- Y a une affaire que je comprends pas, pour l'examen de droit des biens.

Rituel : toi, la provinciale sportive, le fif péquiste, l'Italien du West Island, la fille de syndicaliste, le Carabin et toi, assis à votre table de la bibliothèque de droit, entourés de restants de bouffe, vos cahiers éparpillés tout autour (sauf ceux de la provinciale sportive, aussi ordonnée qu'à sa première minute d'étude). Le soleil semble être sur le point de se coucher, dehors. T'es pas sorti depuis ton arrivée, à huit heures et quart ce matin. Tes yeux piquent, t'as le dos presque barré. Tu dois avoir l'air monstrueux, en ce moment. Tu tiens debout par le Concerta et le Cipralex, rien d'autre.

- Avez-vous commencé à réviser droit des biens?

La fille de syndicaliste, la provinciale sportive et l'Italien font oui de la tête.

C'est le Carabin qui a posé la question, évidemment. Trop de commotions cérébrales, déjà. Il sera alzheimer à trente ans.

- L'affaire sur les roulottes, là. Une roulotte, c'est un bien meuble, non?

La provinciale sportive et l'Italien se regardent, hésitants. La fille de syndicaliste fait oui de la tête.

- Okay. Mais là… Pourquoi, dans l'examen, il demande dans quelles circonstances une roulotte pourrait être considérée comme un bien immobilier?

Tu fronces les sourcils. T'étais pas rendu là dans ta révision. T'avais pas vu ça passer, effectivement; tu saurais pas répondre. Tes aisselles s'humectent. Ton cœur accélère. T'es en *retard*. C'est humiliant. Rattraper. Rester concentré. Ne pas laisser l'écart se creuser. L'Italien du West Island jette un regard sur son livre, relève les yeux vers le Carabin, et dit :

- Question piège.
- Question piège?

Le Carabin a répété ça comme un attardé. Il regarde l'Italien, avec ses yeux de porc frais, la bouche à demi ouverte. Ça pourrait être pire : tu pourrais être lui.

Mais t'es pas tout à fait heureux d'être toi.

- Ils vont probablement mentionner quelque chose comme des raccordements électriques, de la plomberie, pour donner l'impression que ça devient immobilier, mais au sens de la loi, non, ça l'est pas.
- Ah, okay!

Il fronce les sourcils et fait de gros oui de la tête, comme s'il était témoin d'une révélation divine.

- Thanks, man.

Il se cale dans sa chaise, étire ses bras gros comme tes cuisses.

- Fuck, j'ai mal partout, man, faut je me lève…

Il recule sa chaise, s'éloigne, dodeline jusqu'aux portes de la bibliothèque. T'ouvres ton *Précis de droit des biens*, pour trouver l'article en question.

- Dude, tu dis, tu t'es trompé. C'est considéré comme un bien immobilier, si c'est raccordé à l'eau pis à l'électricité.
- Je sais, l'Italien te répond.

Ça te prendrait un Rivotril, maintenant. Quelque chose en toi va commencer à avoir peur, dans peu de temps, et à paniquer. Il dit :

- C'est cinq minutes de ton fucking temps, vérifier ça. Si le gros tas est pas capable de faire ça par lui-même, c'est son hostie de problème.

Vous gardez tous les yeux sur vos livres, comme gelés.

- Allez y dire la bonne réponse, si vous tenez tant à ce qu'y ait une bonne note, l'Italien conclut.

La fille de syndicaliste se lève et murmure, avant de partir en direction du Carabin :

- T'es vraiment un tabarnak, Mike.

Il la regarde, souriant, se presser vers les portes de la bibliothèque, se retourne vers vous, et dit, satisfait :

- C'est exactement ce que je pensais. Vous êtes autant des tabarnaks que moi.

Aurélie a mis une petite robe blanche que tu ne l'avais jamais vue porter avant. Tissu mat, discret, seyant. Choix savant. Ça met sa taille et ses petits seins en valeur. Pas de brassière et ça se tient merveilleusement bien. T'as jamais été un gars de seins. Ça a souvent l'air vulgaire, les gros seins. Aurélie, elle, est tout sauf vulgaire.

T'es d'ailleurs pas le seul à le penser. Ça se casse le cou, à l'entrée de la Société des Arts Technologiques : les fumeurs dehors, l'ouvreur, le doorman. Ton bras vient entourer la taille fine d'Aurélie et t'arrives pas à réprimer ton sourire. T'es de bonne humeur, on dirait. Tout va bien, on dirait. Tu déposes un baiser sur la joue d'Aurélie.

T'as encore les blue balls. Ça fait au moins une semaine que t'es pas venu, à cause du Cipralex. C'est « répertorié », a dit Aurélie : ça arrive. Au moins t'es capable de bander et de faire venir ta blonde, c'est déjà ça. La psychiatre a parlé de te mettre sur le Wellbutrin, si tu finis par trop t'ennuyer de venir. Tu t'ennuies pas mal de venir. T'arrives seulement à l'orgasme en te crossant pendant une heure, au bout de laquelle ton pénis est couvert de brûlures de friction : désagréable, quand même.

C'est bondé, en dedans. Le bar semble pas fournir : bar open, évidemment, alors les gens virent fous. Au fond de la salle, là où c'est plus calme, les petits présentoirs de l'encan silencieux. Tu en fais le tour avec Aurélie. Elle paraît tentée par une paire de perles en boucles d'oreille.

- Quand je vais être associé chez Alberti Johnson, je vais t'en payer des dizaines, des comme ça.

Tu le dis à la blague et tu te rends compte du mensonge que tu viens de proférer. Tu seras pas associé chez Alberti Johnson. Tu seras pas dans un cabinet. Tu passeras pas ton Barreau. Tu finiras pas ton bacc. Tu sais même pas si tu vas finir la session. Aurélie préfère ignorer plutôt que relever ton mensonge : merci, mille fois merci.

- À quatre cents, tu penses que je vais les avoir?
- Je sais pas, tu dis. Ça vaut combien, des perles comme ça?
- J'ai sincèrement aucune idée.
- Je te dirais que ça risque de se vendre au moins deux fois le prix du marché, dans une soirée comme ça.
- Ouais.
- Pis la personne qui va les acheter va probablement juste garder le reçu d'impôt pis crisser les boucles d'oreille aux vidanges.

Il y a aussi à l'encan des œuvres d'art assez laides, un voyage à la Baie-James (la présidente du comité de la soirée-bénéfice est cadre chez Hydro-Québec), des bouteilles de vin semi-rares. De la merde, en somme, à prix d'or.

Tu scannes la salle. Tu sais pas si vous avez réussi à faire venir autant de vedettes que le comité voulait. T'as vu Ricardo Larrivée, Martin Matte et une fille qui anime une émission de décoration à Canal Vie. C'est mieux que rien. Ils ont choisi le rez-de-chaussée plutôt que le dôme de la SAT. Ça devait être moins cher, la jauge devait être plus petite. Reste que le dôme est nettement plus impressionnant, et y a pas le risque d'avoir deux-trois hobos qui t'épient par la fenêtre qui donne sur le Red Light, comme c'est le cas en ce moment. Tu reconnais l'ancienne VJ de MusiquePlus recyclée en DJ bas de gamme dans le booth, à l'autre bout de la salle. En réunion, la présidente du comité de la soirée-bénéfice tenait à l'avoir, convaincue qu'elle était une valeur ajoutée; en fait, t'as su par après que c'est parce que c'est sa nièce. On s'en fout, au fond : personne écoute la musique, alors qu'elle mixe, la has-been, si ça lui plaît, et si ça plaît à sa tante.

Tout le monde ici est là, en apparence, par *altruisme*. Peu de choses sont aussi cruelles que l'altruisme, penses-tu. Donner crée nécessairement de l'inégalité. Autant que prendre. Peut-être plus : on choisit celui qui en profite, quand on donne. On donne autant qu'on peut, quand on est une bonne âme, mais même Mère Teresa pouvait pas donner à tout le monde. Et c'est là qu'il faut choisir. Et c'est là que quelqu'un mange un coup de batte en plein visage. On va donner à la famille au coin de la rue qui a passé au feu et qui avait pas renouvelé ses assurances, mais pas à l'édenté qui quête au métro depuis toujours. On va pleurer bruyamment une poignée d'Européens morts dans une attaque terroriste mais s'offusquer légèrement d'une flopée d'écoliers africains morts dans un bain de sang. L'altruisme, même le plus pur, a ses limites, et démontre plus violemment que l'égoïsme et l'esprit de compétition qu'au bout du compte, on se crisse pas mal de tous ceux qui nous ressemblent pas. Les gens présents ici ont choisi cette soirée, précisément, et pas une autre : c'est foncièrement cruel. Les soirées-bénéfices créent de l'inégalité, comme tout le reste.

Aurélie attrape ta main.

- Boire?

Tu acquiesces, n'en déplaise à ta psychiatre. Densification de la foule. Tu sens la sueur qui commence à perler sous ton complet. Tu voulais pas mettre de t-shirt ou de marcel sous ta chemise, on voit les rebords souvent, et alors c'est très inélégant, mais il faudrait pas non plus que tu mouilles ta chemise de bord en bord, ce serait pire. Respirer. T'aurais dû te siffler un shooter au bar à côté avant d'entrer, ça t'aurait calmé. En même temps, tu seras soûl bien assez vite, avec le bar open. Sans l'être trop. L'être juste assez pour lubrifier les relations sociales. Un équilibre si rare et précaire.

Cousin Fred est en train d'attendre un verre au comptoir. La surface du bar, éclairée par en dessous, lui donne l'air d'une apparition christique.

- Bro! Comment tu vas?

Cousin Fred te serre dans ses bras.

- Merci d'avoir acheté des billets, tu dis. J'espère que ça sera pas trop chiant, tu sais comment ça peut être, des fois, ces trucs-là.

Il t'a pris deux billets, un pour lui et un pour sa nouvelle blonde. Trois cents croquettes. Tu veux bien croire qu'il a signé avec Alberti Johnson, Cousin Fred, l'argent a tout de même pas encore commencé à lui pleuvoir dessus : il a pas passé son Barreau ni même fini le bacc. Papa doit pas être loin derrière.

Il s'étire vers Aurélie, l'embrasse.

- T'es donc ben belle, Aurélie! Tu devrais être en robe plus souvent.
- Merci.

Aurélie pointe derrière lui : une petite brune en robe noire, grands yeux candides, pommettes saillantes, semble dissimuler poliment son ennui, appuyée au bar.

- C'est ta blonde?
- Oh, shit, oui, 'scusez-moi!

Cousin Fred ramasse ses deux gin-tonics et en tend un à la brunette derrière lui, en nous la désignant de la tête.

- Raphaëlle, elle dit en tendant la joue vers moi.
- Raphaëlle est conseillère en génétique à Sainte-Justine, Cousin Fred dit.
- On s'est rencontrés quand Fred donnait du temps à la fondation, elle ajoute.

- Sinon, l'école, ça se passe bien, man?

Cousin Fred dit ça en te prenant l'épaule. Ton sang se glace. Ton dos frissonne, presque pris de convulsions.

- Oui, tu dis. Oui.

Ça te fait comme si le Carabin te rentrait dans le corps pendant une partie de foot. Tu t'en sortais très bien, t'avais même pas pensé à l'école depuis plusieurs heures, et soudain ça se met à tourner, à surchauffer dans ta tête, il faudrait pas que tu sois ici, c'est vrai que les intras sont passés et que tu peux bien prendre un temps pour respirer, et après tout tu as besoin de t'impliquer dans un truc à but non lucratif, c'est Cousin Fred lui-même qui l'a dit, mais tu devrais pas être en train de boire, la psychiatre elle l'a dit c'est contre-indiqué avec tes médicaments, tu devrais être en train d'étudier, tu devrais toujours être en train d'étudier, et demain t'as un cours, tes lectures sont faites mais t'aurais pu relire, et c'est tellement facile pour Cousin Fred pour lui le pire est fait, il en a rien à foutre d'être bon, il peut bien faire la fête, et au fond est-ce qu'il te le demande parce qu'il le sait que tu es un cancre, est-ce que Cousin Fred est réellement bien intentionné ou est-ce qu'il espère secrètement que tu te plantes? Parce qu'au fond si tout allait bien pour toi, et que tu finissais par signer, par exemple, chez Alberti Johnson, il se sentirait menacé, ça diminuerait ses chances de devenir associé, dans huit ans, neuf ans, dix ans. Tu veux pas croire ce que tu penses mais Cousin Fred lui-même l'a dit, faut faire confiance à personne, surtout pas aux personnes dignes de confiance, ce sont les plus viles.

- Il faut que j'aille pisser, tu dis.

Aurélie te regarde t'éloigner, muette, avec ses yeux qui hurlent à tue-tête de te calmer, elle a clairement vu, senti, que quelque chose t'est arrivé, et ça continue de tourner dans ta tête, alors que tu descends au sous-sol et que tu t'éloignes de la pop années quatre-vingt-dix que la DJ de merde fait cracher. Tu t'enfermes dans une toilette et tu essaies de ralentir ta respiration, mais ça ne sert absolument à rien, parce que tout, ici, n'a aucun sens : tu as fait mille téléphones dans les dernières semaines pour vendre des billets hors de prix à des gens qui les achetaient soit pour se faire voir dans un événement mondain, soit simplement pour se délester d'impôts à payer; t'as fait ça dans le but de te faire paraître impliqué dans ta communauté, donc employable aux yeux d'un cabinet, mais l'épreuve des faits t'a démontré que tu as de toute évidence pas ce qu'il faut pour être dans un grand cabinet, alors tout ceci est d'une connerie inégalable, c'est inutile et sans issue, et il faudrait que tu partes, mais partir abruptement serait encore plus humiliant et tu te sens déjà passablement humilié, et s'il y a une seule parcelle d'espoir que tu puisses renverser la vapeur, il faut pas lâcher, ne pas faire un suicide professionnel, ne pas faire de crise, peut-être seulement prendre un Rivotril et tout ira bien.

Les Rivotril sont dans le sac à main d'Aurélie. Il faut continuer de respirer, remonter les marches, trouver Aurélie. Tu croises Sarah-Jeanne Labrosse dans l'escalier : une victoire de plus pour le comité qui tenait tant à ses vedettes. Aurélie, Fred et Raphaëlle se sont mêlés à la foule. Ils font à peu près mine d'écouter l'animation, à laquelle on n'entend à peu près rien parce que les micros sont mal balancés et que tout le monde préfère jaser en même temps. Deux chanteurs de l'Atelier lyrique de l'Opéra de Montréal sont venus chanter un extrait de *Carmen*. Le contexte, le moment, le lieu sont mal choisis : tu savais que c'était une mauvaise idée dès le départ, tu l'as dit en réunion. T'es content que ça foire. T'as toujours raison. Tu murmures à l'oreille d'Aurélie que tu veux un Rivotril, elle regarde autour de vous, furtive, et aussi un peu inquiète, elle t'en glisse un discrètement, tu sors dehors, tu tournes le coin pour l'avaler en cachette avec ta salive. L'air froid te brûle le visage. Ta respiration s'est ralentie : l'effet du Rivotril est immédiat. C'est mental, évidemment, mais tes parents ont toujours dit qu'un bon médecin devrait jamais sous-estimer le pouvoir du placebo.

Les chanteurs lyriques ont foutu le camp quand tu reviens en dedans, remplacés par l'animatrice de la soirée, une comédienne quelconque, ex-enfant actrice, connue depuis qu'elle a huit ans, de ton âge à peu près. Tu la connais parce qu'elle a fait une demi-session à Brébeuf, avant de lâcher les études. Elle posait des questions atrocement creuses, dans le cours de littérature que tu avais avec elle. C'est pas une lumière, mais elle est connue : ça vaut plus que beaucoup de choses, être connu. Plus que l'intelligence, en tout cas. Elle est belle, aussi, accessoirement. Tout passe mieux quand on est beau. La stupidité, par exemple.

Aurélie te flatte le bras. Cousin Fred s'approche de ton oreille pour gueuler par-dessus la voix de la petite comédienne dans les haut-parleurs :

- Hey, moi pis Raphaëlle on voulait faire un long week-end en mai, après la fin de la session, en Nouvelle-Angleterre, ça vous tenterait de venir? Ça serait le fun d'y aller à quatre. J'ai réussi à avoir que'ques jours de congé.

Tu sais pas si tu seras vivant, rendu en mai.

- C'est une super bonne idée, moi j'embarque! Aurélie s'exclame spontanément.

Aurélie a cette capacité de s'émerveiller de tout, de se réjouir des plus petits plaisirs avec autant d'intensité que lorsque tu te faisais promettre une journée aux glissades d'eau, enfant. C'est parfois agaçant, mais c'est surtout attachant; en ce moment, ça te rend mélancolique.

- Je connais une place, il dit, au Maine. Une île. C'est super beau.
- Je suis game, tu dis.

Tu te retournes vers la scène. La comédienne crache ses bons sentiments dégoulinants dans son micro.

- Évidemment, quand on m'a demandé de m'associer à Stop Suicide Montréal, j'ai immédiatement dit oui. Je trouve que le travail que la fondation accomplit est nécessaire, surtout quand on sait que, pendant un certain temps, le Québec a été l'un des endroits dans le monde avec le plus haut taux de suicide…

Cette comédienne porte de la guenille plus flamboyante que ce qui recouvre la moyenne des filles autour : une robe noire, très serrée, un assez bon décolleté sur ses seins généreux. Les paramètres sont pas exactement les mêmes pour les artistes que pour les gens d'affaires, penses-tu : ça serait pas acceptable, pour une associée dans un grand cabinet, mais dans le cas d'une petite comédienne, on peut mettre ça sur le dos de l'exubérance. Ça flirte avec la vulgarité sans y verser entièrement. C'est assez sexy, en fait.

Aurélie t'a jeté un regard, quand cette comédienne a dit le mot « suicide ». Tu continues de regarder devant toi.

- On peut certainement dire que le travail de Stop Suicide Montréal et d'autres organismes a dû contribuer à cette diminution du nombre de suicides…

La comédienne est pas mal, elle a réussi à attirer un minimum l'attention de la foule.

- Le travail de Stop Suicide est particulier, en ce sens qu'il met l'accent sur la prévention très tôt, en intervenant avec les jeunes dès le début du secondaire pour les sensibiliser à la question du suicide…

Ton angoisse a fait place à un genre de léthargie. Mais c'est pas le Rivotril qui te fait sentir comme ça.

- Parce qu'en combinant un travail en santé mentale, comme le font certains autres organismes, et une sensibilisation en amont, comme Stop Suicide le propose, ça couvre un très large spectre et ça aide à insuffler à nos jeunes l'idée que le suicide est jamais une option.

Tu revois l'exit bag. Tu te vois pendu au balcon. Tu sens la gravité qui te tire vers le Saint-Laurent alors que tu viens de sauter de Jacques-Cartier. Ça fait une vague de chaleur qui part de ton sternum.

- Et maintenant, je vous laisse avec l'animation musicale, et je vous rappelle que l'encan silencieux est ouvert jusqu'à minuit! Merci encore à tous nos généreux donateurs, dont les noms sont tous exposés dans le hall!

Tu t'imagines cette comédienne vieille, décrépite. Seule. Tu te demandes combien de personnes vont être à ses funérailles. Sera-t-elle trésor national ou aura-t-elle sombré dans l'oubli? Jusqu'aux années cinquante, les comédiens n'avaient pas le droit d'être enterrés dans des cimetières catholiques. Tu penses à tes funérailles. Elles seront nécessairement plus réussies si tu meurs bientôt que si tu meurs dans soixante ans. Les jeunes morts font les meilleures funérailles. Tu penses à celles d'Aurélie. Combien de temps après toi elle mourra, puisqu'elle t'enterra, nécessairement. Celles de Cousin Fred. Celles de Raphaëlle. Celles de tes parents : elles sont pour bientôt, relativement. Un serveur avec une peau parfaitement lisse, laiteuse, passe derrière. Tu te demandes de quoi aura l'air sa peau, dans cinquante ans. Existera-t-elle encore? Sera-t-elle décomposée? Ton verre est vide.

Il faut boire. Combien y a-t-il d'êtres humains, dans cette salle? Dans combien d'années le dernier humain présent ce soir mourra-t-il?

La personne dans la file, devant toi, elle pense à quoi? Est-elle heureuse d'être ici? Qu'est-ce qui va la tuer? Quel est son bagage génétique? Souffrira-t-elle de maladies dégénératives? Dans combien de temps la SAT sera-t-elle abandonnée? Combien de temps passera avant que son toit s'effondre, qu'elle soit rasée?

Tu as ton gin-tonic. Aurélie a son verre de chablis. Tout va bien. Cousin Fred te présente un homme d'une quarantaine d'années. Tu l'as vu jouer au squash au Atwater Club. Il a des implants capillaires et un sourire plus blanc que celui de Cousin Fred. La DJ a mis du Prince. Prince est mort. Ton grand-père est mort. Tu serres la main de l'homme. C'est un associé d'Alberti Johnson. Il commente la force de ta poigne. Vous parlez de squash. Vous parlez du Atwater Club. Tu ne sais pas ce que tu dis, mais ça l'amuse et il éclate de rire. Il te demande comment vont tes études.

Tu te revois assis dans le bureau de ton père avec la tempête qui souffle derrière. Tu revois les chiffres se dérouler devant ton regard.

Tu souris et tu dis que tu t'es jamais autant senti à ta place. Il te dit que c'est bien que tu sois impliqué dans Stop Suicide. Tu penses aux ados qui reçoivent des visites de Stop Suicide dans leur classe à l'école secondaire. On leur dit que le suicide est un acte désespéré.

Qu'il est le résultat de troubles psychiatriques. Que les gens qui ont recours au suicide ne voient pas les autres options. Tu vois toutes les autres options, toi. Seulement, te suicider, c'est la meilleure.

La musique est assourdissante. Les serveurs vous contournent avec leurs plateaux de bouchées. Des endives farcies. Des arancini. Des bouchées de sushi. La file au bar s'allonge. Quelqu'un te fait la bise. Quelqu'un te serre la main. Quelqu'un éclate de rire encore une fois. Quelqu'un a fait une blague. Tu ris. Aurélie a mis une main sur ton épaule. Tout le monde rit. C'est hilarant. Tu ne sais pas de quoi parle la blague. Tu ne sais pas qui l'a dite. Cousin Fred en rajoute. Tout le monde éclate de rire de plus belle.

Un photographe se poste devant vous. Aurélie pose spontanément. Tu l'enlaces. Flash.

Tu portes ton complet noir Tiger of Sweden, avec une chemise blanche bien pressée et une cravate noire; ta barbe est fraîchement rasée, tes cheveux sont impeccables, de la bonne longueur : t'étais allé chez le barbier l'après-midi même. Tu souris de manière contenue, calculée; ça fait des pattes d'oie aux coins de tes yeux, mais ça t'évite d'être complètement bridé, comme tu l'es souvent, quand tu souris. On dit souvent que t'as un sourire « communicatif », en fait quand tu souris à pleines dents le reste de ton visage s'efface, on ne voit que ça, et tu as l'air beaucoup trop gentil : mieux, donc, de contenir. À tes côtés, Aurélie porte une robe blanche avec une sorte de filet qui monte à partir de sa poitrine et vient encercler son cou, comme un col Mao. C'est sexy, comme le sont souvent les tissus qui font mine de recouvrir, sans cacher tout à fait. Ton bras entoure sa taille. Elle sourit sans montrer ses dents, mais son regard est pétillant. Ses pommettes semblent particulièrement hautes, son visage est long, mais plein. On remarque par la réflexion circulaire sur son iris, qui est plus visible que le tien, que le photographe utilisait un ring flash; ça vous donne à tous les deux un aspect d'apparition : vos peaux sont mates, régulières, encore plus parfaites qu'à l'habitude. Vos ombres, derrière, très définies, semblent vous envelopper.

On reconnaît le rez-de-chaussée de la SAT, mais le cadre est assez générique : vous pourriez être dans n'importe quel endroit adapté à recevoir des événements. Quelques mètres derrière vous, la fresque de lumières couvrant la vitrine extérieure est illuminée. Un serveur en chemise blanche, hors foyer, semble être en train de présenter des bouchées. Les couleurs de l'arrière-plan sont assez froides : mauve, bleu, un peu de vert. On distingue les phares des voitures, sur Saint-Laurent, et la silhouette du Monument-National.

À droite, un homme d'une trentaine d'années semble être en train d'expliquer quelque chose de très compliqué à une autre personne, hors cadre.

À gauche, deux filles, sous-exposées, assez loin derrière, regardent vers le bar.

La photo sera mise en ligne sur la page de l'événement lundi matin, vers dix heures. C'est un moment où l'achalandage est assez élevé, sur les réseaux sociaux. Un des organisateurs de la soirée vous taguera, toi et Aurélie. Les commentaires et les likes pleuvront. Ce sera la photo de vous deux qui aura le plus buzzé sur les réseaux. Vous aurez deux cent soixante likes et soixante-sept commentaires.

Les commentaires seront semblables : ceux de vos familles seront plus tendres, ceux de contacts professionnels seront cordiaux, voire gentils, ceux de vos amis exprimeront du ravissement, de l'ahurissement, de manière plus cryptique. Codes conversationnels variés.

Beaucoup d'entre eux relèveront le fait que vous avez l'air particulièrement heureux, sur cette photo. Ce sera la dernière photo de vous deux.

T'as pas vraiment été capable de faire quoi que ce soit depuis ton dernier examen. T'as sincèrement aucune idée de comment ça s'est passé. Une partie de toi croit avoir livré correctement; après tout, sept nuits blanches passées sur le Concerta, ça peut certainement pas nuire. Seulement, t'avais la même impression en décembre et t'as eu un GPA abyssal, alors comment savoir.

Aurélie a tout géré, avec Cousin Fred. Il y a pas d'épicerie, sur l'île, alors fallait planifier la bouffe. Elle a même fait tes bagages.

- C'est comment, voyager avec un handicapé? tu lui as demandé.

Elle a ri, t'a dit que des vacances te feraient du bien. T'es pas très certain que des vacances soient suffisantes pour soulager ton vertige cosmique.

Vous avez pris la Volvo C30 de Cousin Fred. Ta Wrangler aurait été nettement mieux : vous auriez eu plus d'espace pour vos bagages. Là, le coffre est complètement plein, et vous avez même des bagages sur les genoux, mais Fred a insisté. Il entretient une obsession à la limite de l'autisme pour sa C30. C'est vrai que c'est une voiture assez unique, et le modèle T5, celui que possède Fred, a un moteur pas mal puissant, couplé à un habitacle nerveux et bas sur roue qui donne l'impression de conduire un go-kart de luxe. Volvo en a cessé la production en 2012; Fred l'entretient donc avec un soin malade, appréhendant le jour fatidique où on devra le séparer de son précieux, puisque tout doit mourir. Heureusement, la C30 jouit de la légendaire fiabilité de toutes les Volvo, et elle ne meurt que tranquillement, très tranquillement.

Portland, Maine est assez près de Montréal en kilométrage, mais aucune autoroute ne relie les deux villes; il faut donc emprunter des routes secondaires pour les trois quarts du trajet, une fois la frontière américaine passée. Les villages ressemblent tellement à l'idée précise que tu t'es fait vendre, depuis toujours, de ce que doit être un charmant petit village de Nouvelle-Angleterre qu'ils pourraient tout aussi bien être des décors plantés là par des bureaux de tourisme. Quand t'as visité le Vietnam avec Aurélie, quelqu'un vous a dit que plusieurs villages traditionnels, dans le Nord, étaient pratiquement du théâtre subventionné par l'État, avec des acteurs qui habitent le décor à l'année, afin de donner une rare impression d'authenticité et d'exotisme aux visiteurs. Le même procédé pourrait s'opérer, de manière peut-être inconsciente, par les poussées discrètes de la main invisible du marché, dans le chef-lieu du capitalisme : adopter le mode de vie auquel les touristes s'attendent pour leur plaire, et qu'ils crachent le cash.

Les putasseries auxquelles on s'abaisse, pour un peu d'argent. T'en sais quelque chose.

Vous avez le temps de faire un petit tour de ville, en attendant le traversier. C'est cute, comme endroit; apparemment que c'est assez étudiant, comme ville, même si on est relativement loin d'un centre urbain : ça doit donner la même impression qu'aller à Bishop. Les restaurants, en tout respect des traditions régionales, servent des lobster rolls, de la chowder, des fried clams, du fish'n chips. Tu y vas pour une chowder et une salade, Aurélie pour un lobster roll.

- Paraît qu'il y a des pêcheurs de homard, sur l'île, Cousin Fred dit. Tu vas cogner chez le gars, il te vend un homard qu'y a pêché le matin même.

Ça fait *authentique*. Ça vend, l'authenticité. Être près du voisin, vivre comme si on habitait là, alors qu'on est surtout venu ici pour garnir son compte Instagram, et rendre les gens jaloux.

Tu repenses à cette photo, avec Aurélie, à cette soirée-bénéfice, en avril. Jamais eu autant envie de te pendre. Jamais récolté autant de likes. L'*authenticité*.

Le traversier semble surtout emprunté par des gens qui se connaissent. Ils traînent tous pas mal de provisions : les îles étant accessibles seulement par bateau, la logistique de la vie quotidienne est plus compliquée. Tu deviendrais fou en une semaine. Mais pour les vacances, c'est parfait, c'est *typique*, donc *authentique*; s'imposer une dose de fait-chier fait parfois partie des vacances. Le dépaysement serait impossible, autrement. Le camping ne serait pas le camping si la tente prenait pas l'eau et qu'on se levait pas avec un mal de dos à cause de l'humidité.

Il a fallu prévoir un taxi en appelant avant de prendre le traversier; t'avais peur d'avoir rien compris correctement, l'accent de la dame était dégueulasse, elle aurait pu japper que ça aurait pas été moins clair. Elle vous attend à votre sortie du bateau, dit bonjour aux quatre autres qui descendent avec vous, des vieux. Tout le monde semble faire un peu de tout, ici : la femme qui chauffe le taxi (les voitures sont très rares sur l'île, elles sont interdites aux non-résidents, et encore là faut demander un permis spécial) travaille aussi comme préposée aux bénéficiaires sur le continent; son mari et sa sœur, qui sont pêcheurs de homard, la remplacent parfois au taxi. Des pauvres. *Authentiques*, les pauvres. Vous croisez un magasin général (*they've got beer, if you're ever dry, and some food, but everything's overpriced as hell here, just so you know*), une école primaire assez mal entretenue, une toute petite église, une station-service fermée.

La chauffeuse devine assez facilement où vous allez même si les indications de Cousin Fred sont floues; vous êtes tous pas mal largués, en fait, mais tous les touristes doivent être pas mal largués, ici. Le chalet est beau, tout à fait en accord avec les photos, et l'idée que le touriste se fait vendre d'une beach house néo-anglaise : des bardeaux de bois grisâtres blanchis par le soleil, un intérieur peint en teintes de gris, blanc et bleu pâle, une décoration à thématique navale, avec des filets, des coquillages, des photos en noir et blanc de bateaux, des cartes marines et des bouées accrochées aux murs, déposées dans les coins.

Un chemin étroit, manifestement emprunté par rien de plus gros que des VTT, mène à une plage rocailleuse. Les belles grosses plages sablonneuses sont de l'autre côté de l'île; c'est mieux d'y aller à vélo, ou de louer une voiturette de golf pour y aller, à moins de vouloir prendre une grande marche, a dit la chauffeuse de taxi. Pour relaxer un peu en fin de journée, une plage à deux minutes du chalet, ça reste le meilleur des plans.

Il reste assez peu de lumière. Cousin Fred s'affaire déjà à amasser du bois de grève pour faire un feu.

- Je sais pas si c'est légal, Raphaëlle dit.
- Voyons, un feu, illégal?
- Je sais pas, je fais juste demander!
- Est-ce que c'est vraiment important en ce moment? il répond, souriant. Y a sûrement pas de police sur l'île, anyway!

Elle hésite un instant. Il ajoute :

- Je vais faire un huge feu, imagine!

Amusée, elle se met à ramasser du bois avec lui. Il l'embrasse. En une vingtaine de minutes, il a bâti un cône de branches de plus de deux mètres. Le bois est assez sec; ça s'embrase de manière spectaculaire, et ça vous garde bien au chaud, avec le vent de printemps encore frais qui vous fouette.

Raphaëlle a apporté sa guitare. Ça te déplaît d'emblée : il y a quelque chose d'intrinsèquement agressant dans le fait de sortir une guitare autour d'un feu, peut-être parce que c'est souvent fait par des gens qui jouent comme des pieds, et que ça te fait sentir comme si t'étais figurant dans une publicité de bière.

- T'es vraiment, vraiment bonne, Aurélie dit.
- J'ai été au Conservatoire, en guitare classique, jusqu'au cégep, faque j'ai eu le temps de me pratiquer un peu.

Le glissement de ses doigts sur les cordes et le souffle régulier de la mer.

- Je nous avais roulé un bat, Cousin Fred dit.

Raphaëlle lui donne une petite tape.

- T'as passé du pot aux douanes? Estie d'épais!

Il l'allume, passe le bat autour du feu. Tu prends une bouffée même si une partie de toi te dit que c'est une mauvaise idée. Ton dernier bat remonte au secondaire, et tu te rappelles que ce soir-là, t'étais convaincu que tous tes amis complotaient pour t'éjecter de la gang : ça t'avait pas fait, fumer.

Cousin Fred se lève pour se rapprocher de l'eau.

- Pas game de se baigner.

En chœur, toi et les filles répondez, sans même être tentés :

- Pas game.

L'eau doit être glaciale, en mai. Cousin Fred sourit : il l'aurait probablement fait, si tu l'avais mis au défi, mais d'avoir eu l'idée de le faire lui suffit, on dirait, ça lui donne l'impression d'être le plus aventurier des quatre. Tant mieux pour lui. T'es bien, près du feu. Tu sens de façon encore plus précise le vent de la mer qui vous refroidit derrière, les flammes qui vous brûlent la peau devant. Le volume de ton corps est devenu trop grand pour ta peau; tu te sens pulser de partout. C'est pas désagréable.

Raphaëlle arrête de jouer un instant, prend une gorgée de bière.

- La lune est presque pleine, elle dit.
- Pleine lune demain, Cousin Fred dit, en se rapprochant.
- Les étoiles sont tellement visibles. Même avec le feu pis la pleine lune, on en voit tellement.

Cousin Fred et Raphaëlle sont côte à côte, debout, maintenant.

- Ça me fait capoter, des fois, Raphaëlle dit.
- Quoi? Cousin Fred demande.

Tu serais mieux de retourner au chalet. Raphaëlle continue :

- Ça vous fait pas ça, des fois? Quand vous regardez le ciel? De penser à l'échelle des choses?

*Tais-toi, connasse. Pas ça. Pas maintenant.*

- L'échelle? Cousin Fred demande.

Aurélie a posé sa main sur ton bras. T'es incapable de tourner ta tête vers elle.

- Des fois, pas souvent, parce que j'ai jamais vraiment l'occasion, je veux dire à Montréal on voit tellement rien, mais même quand je vais en campagne, même là ça arrive pas nécessairement parce qu'on prend pas le temps de s'arrêter pis de regarder les étoiles, mais quand je le fais, je me sens comme, comme… aspirée?
- Comme quand tu regardes en bas, du haut d'une tour?

Ils ont le cou cassé vers le ciel; ça étrangle leurs voix.

- Presque pareil. Pire, peut-être. Je pense au temps des étoiles. Y en a tellement. À tellement de stades. Pis y a tellement une courte période pendant laquelle la vie peut exister à une distance donnée d'une étoile donnée.
- Les étoiles qu'on voit sont déjà mortes, nécessairement, si la lumière est rendue à nous, tu dis.

Tu te rends compte que tu murmurais. Seule Aurélie t'a entendu. Cousin Fred prend la main de Raphaëlle.

- Ce que tu me dis, dans le fond, c'est…

Il l'embrasse.

- … qu'on est vraiment très chanceux d'être ici, maintenant, elle dit.

Elle l'embrasse. Tu revois les colonnes de chiffres de ton relevé de notes de la session d'automne. Tu revois chacun des examens de la semaine dernière. Tu essaies de te rappeler tes explications sur cette question concernant le droit immobilier autochtone et les expulsions des réserves. Ta respiration s'accélère. Tu te lèves pour t'aérer. Tu voudrais fumer une cigarette. Aurélie te dit que, bien évidemment, personne en a, ici. T'as pas fumé depuis secondaire quatre.

Il l'embrasse. Tu penses aux géantes rouges. Tu penses au cours d'Obligations. Tu penses au cours de Droit matrimonial. Tu penses au Soleil devenu géante rouge. Tu penses aux coquerelles. Tu ressens rien.

Tu penses à te jeter à la mer. Tu te demandes ce qui arriverait, alors. Tu t'imagines, la tête couverte par l'exit bag. Tu sais pas exactement dans quel état ça te met. Ça serait censé être un genre de baume. Ou te faire peur, peut-être. Ça te fait plus grand-chose. T'imaginer te jeter en bas du pont Jacques-Cartier te fait plus grand-chose. T'imaginer immolé par le feu te fait plus grand-chose. Demain, c'est le vendredi où toutes tes notes sont censées être entrées. Ça te fait plus grand-chose. Plus grand-chose te fait grand-chose.

C'est peut-être mieux comme ça.

T'es allé boire ton café seul, au bord de l'eau. Votre plage caillouteuse, à côté du chalet, était l'un des seuls endroits où il y avait du signal cellulaire à distance de marche. Il faisait encore frais. T'avais le chandail de laine d'Islande, le même qu'Aurélie, que vous avez acheté quand vous y étiez l'été dernier, juste avant que tu entres au bacc. Tricoté par de vraies grands-mamans islandaises, avec de la vraie laine de mouton islandais, avec un vrai motif traditionnel islandais. *Authentique.*

Tu voulais plus vraiment voir tes notes, mais tu t'y sentais obligé.

T'as réussi à ouvrir ton relevé, même si les pages prenaient mille ans à charger. T'avais qu'une barre de réseau. Ça t'aurait mis le feu au cul, normalement, mais cette fois tu étais content de repousser le moment fatidique où tu verrais ta propre médiocrité prendre la forme d'une liste de lettres et de chiffres.

T'as vu les noms de chacun de tes cours se déployer sur l'écran de ton iPhone. Il n'y avait pas un seul B. Pas non plus de C. Que des A. Des A, des A-, un A+. Ton GPA était de 3,52.

T'as regardé autour de toi, inquiet, comme si tu fouillais dans les informations personnelles de quelqu'un, ou que tu étais en train de regarder de la porn particulièrement étrange quelque part dans le deep web.

Personne t'épiait. Tout le monde s'en fout, de ton GPA. Peut-être même que toi aussi. T'as ausculté ton intérieur et tu savais plus quoi penser. Peut-être que le gros Carabin aurait été prêt à donner son bras pour avoir ton relevé de notes. Peut-être que le fif péquiste t'aurait offert de l'acheter, ton GPA. C'est pas le meilleur GPA au monde, c'est certain, mais c'est très certainement suffisant pour rester dans la course. Toi, tu t'en foutais. On peut pas se rendre insensible aux malheurs sans se rendre aussi insensible aux bonheurs, t'as pensé.

C'est peut-être la faute du Wellbutrin. C'est pourtant pas du lithium, t'es pas encore maniaco. Quoique.

Il était presque neuf heures mais t'avais encore les yeux qui avaient du mal à décoller. T'as toujours l'esprit embrumé, le lendemain, quand tu fumes du pot.

Vous avez trouvé quatre vélos dans la remise, comme l'avait indiqué votre hôte Airbnb, et une pompe pour gonfler les pneus. Vous avez fait des sandwichs, vous vous êtes rendus de l'autre côté de l'île, sur la grosse plage de sable. Vous vous êtes baignés dans l'eau glacée, quelques minutes tout au plus. La météo était parfaite, il y avait du gros soleil, un vent chaud.

En revenant, vous êtes arrêtés cogner chez le voisin pour acheter du homard. Les homards vous attendent sagement dans le frigo, inconscients que leur fin est proche, pendant que vous prenez l'apéro sur votre plage à côté du chalet.

Le soleil est magnifique. Il doit rester dix, peut-être quinze minutes d'ensoleillement, pas plus. Les rayons sont dorés à souhait. Les crêtes des vagues attrapent le coucher de soleil, noir et jaune. Raphaëlle essaie encore de faire des rebonds avec des galets sur l'eau et échoue lamentablement. Fred s'approche d'elle, par derrière, tente de positionner ses bras pour lui faire comprendre le mouvement. Elle lance à nouveau, échoue encore. Fred rit d'elle, elle ricane elle aussi, lui donne des petites tapes pour le semoncer, lui dire d'arrêter de se moquer d'elle. Il l'immobilise en la tenant par les bras. Elle tente de se défaire de son emprise mais, visiblement dominée, abandonne. Il colle son sexe contre son cul et vient lui embrasser le cou. Elle se retourne pour l'embrasser. Il la tient encore serrée. Avec un petit coup d'épaule, elle parvient à se libérer de lui et elle le fuit à toutes jambes. Cousin Fred tente de la rattraper, mais il glisse et tombe cul premier dans le sable mouillé. Il arrache une algue du sol, la lui lance. Ils sont complètement hilares, tous les deux.

Toi et Aurélie, vous êtes assis sur une gigantesque pièce de bois de grève depuis quinze minutes, immobiles, en silence.

- Tu m'as pas parlé de la journée, elle dit.

Tu te rends compte qu'elle a raison. D'emblée, tu comprends pas toi-même ce qui s'est passé. Elle poursuit :

- Tu m'as pas regardée dans les yeux de la journée.

Un quart de seconde, un seul, dans le chalet. Vous vous êtes retrouvés face à face dans le corridor, et vous avez fait cette danse idiote pour savoir qui cède le chemin à qui. Comme deux inconnus sur le trottoir.

- Qu'est-ce qui se passe?
- Je sais pas, tu dis.

C'est sincère. T'as été froid comme les pierres et tu t'en es pas rendu compte toi-même. Elle prend une grande inspiration.

- Est-ce que tu…

Ses yeux demeurent fixés sur Raphaëlle et Fred.

- Est-ce que tu penses à me laisser?
- Quoi?

Clairvoyance. Pourquoi Aurélie est-elle capable de voir en toi plus clairement que toi-même? Dès que les mots sortent de sa bouche, ça te semble une évidence : elle te répugne, depuis ce matin. Depuis avant ça, peut-être. Vous avez pas ri, hier. Ni le jour d'avant.

- Est-ce que tu penses à me laisser? elle répète.
- Je sais pas, tu dis.

Une inspiration douloureuse. Elle se lève et retourne vers le chalet en pressant le pas. Tu la retiens par le bras.

- Attends! tu dis.
- Quoi? Attends quoi? J'ai pas le goût de jaser de ça en ce moment, pis j'ai vraiment pas le goût de regarder Raphaëlle pis Fred s'éclater sous le coucher de soleil pendant que mon mec est en train de me domper!

*Mon mec est en train de me domper.* Ce savant mélange de québécois et de français que seule une Stanislasienne utiliserait.

*Mon mec est en train de me domper.* T'avais pas conscience que c'était ça qui était en train de se produire, mais Aurélie, avec sa clairvoyance, l'a compris plus que toi.

- Je veux être toute seule. Je vais aller au chalet.
- Il fait presque noir. Tout le monde va rentrer au chalet dans quelques minutes, tu seras pas plus avancée.
- Je veux partir.
- Aurélie… Le dernier traversier vient d'arriver. Regarde.

Le bateau est en train de disparaître derrière la pointe, sur votre gauche, en direction du quai.

- Le prochain passe pas avant demain midi, tu dis.

Un long temps. Elle prend une grande inspiration. Elle repart dans le chemin menant vers le chalet, mais tourne avant, pour s'enfoncer dans le bois. Au moins elle veut pas faire une scène publique, comme certaines filles semblent rêver de faire chaque fois qu'elles se chicanent avec leur chum. Elle s'arrête, regarde autour, comme pour chercher de l'aide.

- Évidemment que je suis pas assez conne pour faire foirer le voyage. Évidemment que je prendrai pas le traversier demain. Je reviendrai pas à Montréal sur le pouce. Pis je suis pas assez conne pour vous forcer à repartir plus tôt.

Tu voudrais trouver un moyen de clore la conversation maintenant.

- T'aurais attendu combien de temps, si je t'en avais pas parlé? elle demande.
- J'aurais attendu le moment opportun, j'imagine.
- Le moment opportun.

Sa répétition est assortie d'une moue un peu méprisante. Chaque réponse te demande un effort pénible. Tu dois inspirer longuement, rester en apnée, bouche à demi ouverte. Réfléchir. Ton sang a ralenti dans tes veines. Le temps a pris une autre texture, pour toi. De la vase.

- Je sais même pas si je devrais te demander pourquoi. Je sais même pas si t'es capable d'une explication logique à pourquoi t'es en train de faire ça.

Aurélie, au contraire, est branchée sur le deux cent vingt.

- Y a aucune explication logique à rien, dans' vie, tu dis.

- Je comprends pas pourquoi c'est en train d'arriver.
- C'est exactement ce que je dis. Je comprends pas pourquoi rien est en train d'arriver.
- Pis c'est à cause de ça que tu veux me laisser.
- Je regarde Fred pis Raphaëlle ensemble, pis c'est comme si…

Tu ne les vois plus, du bois, mais tu te retournes spontanément vers la plage, pour pointer dans leur direction.

- C'est un jeune couple, Aurélie dit, c'est normal que Fred pis Raphaëlle –
- C'est comme si le fait de s'aimer, ça les rendait vivants.
- C'est ça que c'est censé faire, oui. Quand t'es un être humain normal.

Tu regardes autour. Il doit rester trois minutes à l'heure dorée. Stries de soleil sur les cuisses d'Aurélie.

- Je suis peut-être pas un être humain normal, tu dis.
- Oh, parce que c'est ça. C'est encore de ça qu'on parle.
- Je sais pas.
- Tu me laisses parce que t'espérais que je sois la solution à tout.

Elle n'a pas encore versé une seule larme. Une fille solide, Aurélie.

- Avoir su, je t'aurais laissé cet hiver, elle dit. Je me serais pas donné le trouble.
- T'aurais pas été capable.

- Tu penses que je suis une petite connasse complètement dépendante? Je suis capable de vivre sans toi, moi! Je vais survivre à ça, moi! Même si toi –

Elle s'arrête.

- Je m'excuse. Je – Je voulais pas dire que –
- C'est correct.

Elle se retourne vers la plage. Un dernier rayon meurt entre les arbres. Elle soupire.

- Je pensais que ça te donnait un peu le goût de vivre, d'être avec moi. De… de m'aimer.

Tu y réfléchis un instant.

- Non… Non.
- Non. Alors c'est juste toi. Juste toi. Ça fait juste tourner autour de toi, comme d'hab.
- J'imagine, oui.
- T'es vraiment un putain d'enfant gâté. Tu te poses ces questions-là, t'as ces angoisses-là juste parce que t'as été dorloté grave et que t'as tellement toujours eu ce que tu voulais. Tout ce qui se passe autour de toi, ça prend uniquement son sens quand c'est mis en relation avec toi.
- C'est toi qui viens de me dire que tu pensais que ça me donnait le goût de vivre, d'être avec toi. Toi aussi tu ramènes tout à toi.
- Fuck you.
- Je disais pas ça pour être méchant.

- T'es jamais aussi méchant que quand t'essayes de pas l'être.

- Dis-moi ce que tu voudrais que je fasse, d'abord.

Tout est devenu bleu, autour. On entend les pas de Fred et Raphaëlle, sur le sentier entre la plage et le chalet. T'es incroyablement retenu. Neutre. Ça fait longtemps que tu t'es pas senti comme ça. Quelque chose s'est délié, dans ton ventre. T'es capable de parler avec un débit régulier, sans prendre de pause, sans geler sur place comme un bègue attardé.

- J'arrive pas à voir de futur avec toi, tu dis.

- Tu penses que ça va être mieux avec une autre connasse?

- Non. Avec personne. J'arrive pas à voir de futur, point. J'arrive juste à voir le fait que soit tu vas m'enterrer, soit je vais t'enterrer. Il va se passer des choses entre ça, mais ça va avoir tellement peu d'importance, au final. On est tout seuls, Aurélie. Même ensemble. C'est pas vrai qu'on est un team. On a une impression d'intimité, mais c'est juste une impression. Ça va pis ça vient. On est toujours tout seul, dans' vie. C'est peut-être mieux d'arrêter de se convaincre du contraire.

Une première larme coule sur sa joue.

- Tu disais qu'il fallait que je m'en foute, de mon GPA. Que c'était presque rien. Que dans l'histoire de l'humanité, cette humiliation-là, c'était une toute petite souffrance de rien. Je... Je peux pas faire ça. Je peux pas replacer ce qui m'arrive à l'échelle de l'univers, sinon je panique, Aurélie. Faut juste que j'arrête de penser, tout court. Pis que je me détache de tout. J'y arrive, là. Tranquillement, j'y arrive. Mais en faisant ça c'est pas juste le GPA qui perd son sens. C'est tout.

- Comme quoi?
- Comme être avec toi. Ça a plus vraiment de sens.
- Je disais ça pour te consoler.
- Pis c'est en train de marcher, là. Faut que j'arrête de penser. Faut juste que j'arrête de penser. Le monde qui pensent pas, sont heureux, eux autres, me semble.
- Je trouve ça tellement égocentrique de ta part de te comporter comme si t'étais un grand persécuté de la vie alors que tu connais absolument fucking rien de la misère.

Elle va partir sur l'époque où son père était diplomate au Mali.

- Quand j'étais au Mali, moi, j'ai −
- Faque une année scolaire au Mali, ça fait que tu connais la misère, Aurélie?

Son regard aurait pu te tuer. La lune est presque pleine. Tu distingues un peu son reflet sur l'eau, à travers les arbres.

- Je pense qu'on a trop longtemps jugé le monde qu'on trouvait superficiel. Je pense qu'y a une raison, dans' vie, pourquoi on aime les beaux chars, les vidéos de chats, les six packs, pis le hockey. C'est ça qui nous garde vivants. Pis j'en ai assez d'être mort en dedans.

Elle serre les dents, comme si elle se faisait amputer à froid. Elle n'émet presque aucun son. Aurélie a toujours eu une grande discipline, une grande tolérance à la douleur, aussi. Ta mère a toujours dit que les femmes, en général, toléraient mieux la douleur. La légende veut qu'elle faisait son jogging dans les rues d'Outremont au lendemain de son accouchement. Aurélie veut être comme elle, tu penses.

- Je sais que c'est pas le fun, ce que je te dis. Mais je sais pas ce qu'y faudrait que je te dise pour que t'ailles mieux. Je veux pas te dire que tout ça, c'est rien, que ça signifie rien. Parce que tu pourrais devenir folle, comme moi. Si tu penses que c'est gros, le fait que je te laisse, je pense que tu devrais te donner le droit de trouver que c'est gros. Comme je trouvais ça vraiment déprimant d'avoir un GPA de 3,12. Même si tout le monde me trouvait con de penser ça. Mais pour moi, maintenant, ça veut plus rien dire d'être avec toi. Comme tout le reste. J'ai moins mal de même.

Elle se redresse. Elle essuie son visage.

- Donc ton plan c'est… c'est quoi?
- Je sais pas. C'est l'été. Je vais faire ce que le monde fait, l'été. Je vais continuer de m'entraîner. Peut-être aller voir des shows. Faire du mountain bike avec mon père.
- Peut-être baiser des filles.
- Peut-être. Oui. Je suis jeune. C'est ça qu'y font, les gars de mon âge. Je sais pas. Tant que je fais quelque chose. Peut-être qu'y faut juste que je me concentre sur ça. Les choses pratiques. Même si tu trouves que ça vaut rien,

les choses pratiques. J'essaye de devenir plus mesuré, plus contrôlé, comme gars. Tu comprends?

Elle renifle, regarde autour d'elle encore une fois. La nuit est tombée comme une guillotine. Les yeux toujours au sol, tu ajoutes :

- Peut-être que c'est correct, de faire le choix de devenir superficiel, si c'est un choix conscient.

Elle fait oui de la tête à répétition, plus par réflexe. Elle semble plus t'écouter.

- Je viens d'avoir mes notes. J'ai 3,52 de GPA.
- Okay.
- C'est bon. C'est un bon chiffre.
- Okay.
- C'est un bon chiffre pis je m'en fous. Tu dois être contente que je m'en foute.
- Non.
- Y a pus rien qui compte, Aurélie.
- T'es vraiment un malade mental.
- Je travaille à régler ça.

Elle agrippe ton poignet et te tire vers la plage. T'es plus fort qu'elle, tu pourrais l'arrêter sans effort, mais tu la suis. La plage est illuminée par la pleine lune. Le sable est gris et la mer a l'allure du mercure liquide. Raphaëlle et Cousin Fred ne sont plus sur la plage. La fraîche est tombée. Tu frissonnes.

Elle te pousse contre une petite paroi rocheuse. Elle s'agenouille devant toi. Elle baisse ton pantalon. Tu appuies ton cul contre la paroi. Les aspérités de la roche mordent dans tes fesses. Tu bandes. T'es pas dans le mood, en ce moment, mais t'es bandé vingt-deux heures par jour de toute façon, depuis que t'es sur le Wellbutrin. Aurélie ouvre grand la bouche et enfonce ta queue profondément dans sa gorge. Elle s'adonne avec beaucoup de motivation. Tu oublies la roche qui te transperce la peau. Malgré tout le malaise, malgré le lieu, que tu trouves pas tellement excitant (t'as toujours préféré les lits, t'es assez conservateur, sauf cette fois dans une toilette publique quand vous étiez en Turquie), tu bandes très dur et t'as bien envie de la baiser. Le désir a jamais vraiment été un problème, dans votre couple, même après trois ans et demi. C'est fou, de se dire qu'il y a des couples qui se laissent parce qu'ils ont plus envie de baiser.

Tu la fais lever en la prenant par la gorge (tu sais qu'elle aime ça, parfois tu l'étouffes, gentiment, elle aime se sentir dominée). Tu la fais s'appuyer contre la paroi rocheuse. Sa peau blanche et sans marque, contre la roche râpeuse. La lune est si lumineuse que tu vois le grain de sa peau comme en plein jour. Elle sort spontanément les fesses. T'entres en elle doucement, en tenant son menton pour tourner sa bouche vers la tienne. Tu sais que c'est pas particulièrement confortable pour elle, de se tourner le cou vers l'arrière comme ça, mais elle le fait souvent et s'en plaint jamais. Le plaisir qu'elle en retire est plus grand que la douleur, t'imagines.

Le traversier réapparaît devant la pointe, passe directement devant votre plage. Lumières qui flottent lentement dans l'obscurité, au-dessus des vagues. T'as du mal à évaluer la distance : il est probablement très loin, et les chances que vous soyez visibles, d'abord, et que quelqu'un se trouve à regarder dans votre direction, en plus, sont assez minces. Toi-même, tu distingues pas un seul passager, à cette distance. Au moins trois cents, peut-être cinq cents mètres vous séparent. Tu te trouves con de réfléchir à tout ça, alors que c'est le fantasme de probablement bien des gens de se faire regarder comme ça. Aurélie aime probablement ça. Aurélie aime certainement ça.

Tu tournes sa tête vers le bateau. Elle gémit. Sa chatte se contracte. Tu sais pas si elle est en train de venir ou si elle fait ça pour t'exciter. Ça fait déjà un certain temps que t'es sur le bord de venir, alors t'abandonnes dans un grand râlement, mille fois plus sonore que ce que tu te permets d'habitude. Tu te rends compte que ça faisait effectivement un certain temps, au moins trois jours, que t'étais pas venu, et l'orgasme n'en est que meilleur : t'as l'impression de remplir Aurélie à chaque giclée.

Tu t'affales contre elle, ta tête appuyée contre son dos, tes bras agrippés autour de sa petite taille. Ses paumes s'enfoncent dans la roche râpeuse. Tu sais qu'elle a mal, mais elle te retient. Par orgueil, peut-être. Sa peau laiteuse est légèrement humectée de sueur. Tu râles comme un bœuf.

Le traversier est loin de vous, maintenant. Il a pris de la vitesse. Aurélie se rhabille en silence. Tu essuies ta queue sur ton jogging. Tu dis :

- Même fourrer, Aurélie.
- Quoi?
- Même fourrer, ça a pas de sens. Fourrer, c'est juste une façon que la nature a trouvée de nous berner, pour faire avancer l'espèce. On finit par donner tellement de sens à ça, alors que ça en a pas. Pas sur notre échelle de temps à nous.

Une baffe, surgie du noir. Une sensation de brûlure qui demeure sur ta joue.

- Arrête de parler, elle dit sèchement.

Vous rentrez ensemble au chalet sans vous dire un mot. Sans vous regarder dans les yeux. Raphaëlle et Cousin Fred ont presque fini de préparer le souper, quand vous entrez, et vous accueillent avec du vin et un sourire en coin, à voir vos visages rougis et vos cheveux en barbeaux.

Vous parlez de cul, tous les quatre, au souper. Cousin Fred fait une blague sur le fait que lui et Raphaëlle ont pas eu l'occasion de fourrer depuis votre arrivée au chalet. Il vous remercie d'avoir pris votre temps avant de rentrer; Raphaëlle devient rouge. Tu demandes à Aurélie si elle avait déjà fourré sur une plage, avant. Ça fait rire tout le monde. Tu ris, toi aussi, par réflexe.

Le reste du voyage se déroulera sans histoire. Vous serez détendus, post-coïtaux, tous les quatre, ce soir-là. Vous retournerez à la plage, le lendemain. Vous mangerez un dernier souper, puis vous irez regarder les étoiles encore une fois, dehors, sans fumer de pot, cette fois, et sans que Raphaëlle philosophe sur les étoiles. T'auras pris un Rivotril, de manière préventive, pour être certain de pas angoisser. Raphaëlle et Cousin Fred n'auront rien remarqué de votre étrange rapport, à toi et Aurélie.

Le jour du départ sera brumeux comme l'Angleterre. Le traversier aura du retard et vous l'attendrez en silence. Toi et Aurélie, vous serez muets tout au long de la route entre Portland et Montréal. Parfois une fine pluie perlera sur le pare-brise de la C30. À un moment, Raphaëlle prendra le contrôle de la musique, mettra un genre de folk mélancolique, et tu sentiras la respiration d'Aurélie se hachurer. Tu la sentiras grincer des dents. Tu te rappelleras la fois où elle avait subi une opération au ligament croisé, pendant qu'elle jouait dans l'équipe du Québec, au collégial : en convalescence, gelée à la lidocaïne, couchée sur le divan du chalet de ses parents, elle grinçait des dents comme ça, très exactement. Orgueilleuse et forte devant la douleur aiguë. Ça hachurera ta respiration, à toi aussi, mais tu pleureras pas.

Cousin Fred vous déposera chez toi. Un peu confuse, Aurélie couchera chez toi. Vous écouterez le hockey avec Papa : on sera très avancé dans les séries éliminatoires, et vous pourrez pas vous en empêcher, parce que ce sera Montréal-Boston. Boston gagnera.

Le lendemain, Aurélie t'embrassera en partant, comme d'habitude. Ce sera la dernière fois qu'elle aura couché chez vous.

T'as pris l'emploi dans le cabinet d'architectes de ton oncle, même si tu voyais mal comment ça servirait ton avenir. Cousin Fred t'a dit que la job d'été entre la première et la deuxième année c'est pas si important, tant que t'as un emploi et que t'as l'air travaillant. La question, toujours, est de savoir comment cette expérience de travail deviendra un aspect de ton historique qui soit séduisant, aux yeux d'un avocat : tout est dans la façon de raconter. T'as eu envie de lui dire, à Cousin Fred, que t'avais plus envie de raconter quoi que ce soit à qui que ce soit, mais ça demandait trop d'efforts.

Ton oncle est sexy, pourrait-on dire, dans le milieu de l'architecture, alors déjà c'est une bonne façon de jeter de la poudre aux yeux. D'ailleurs, il a conçu un penthouse magnifique, dans une tour près de Square-Victoria, pour un associé de chez Dascal Mackenzie, un truc de fou, au seizième étage, des fenêtres de deux étages de haut, une terrasse pas possible; le chantier est presque achevé, si ça ressemble aux illustrations de concept ça sera magnifique. T'aurais voulu une cabane construite par ton oncle, mais maintenant, tu sais plus trop. Comme tu risques de plus faire grand-chose de ta vie, tu devras peut-être te contenter d'un trois et demie sur le bord de la 40. Comment savoir.

Ta job à toi est assez sommaire : faut faire des téléphones, mettre à jour la base de données, bref des trucs ennuyants, mais qui peuvent se faire même avec le cerveau complètement à off : ça fait beaucoup changement de ta fin de session. C'est réconfortant, de pouvoir être braindead.

T'as développé un genre de rituel, avec Cousin Fred. Vous vous voyez beaucoup, plus encore que quand vos pères vous traînaient ensemble un peu partout, même. La Confrérie du Droit vous a rapprochés, vous amusez-vous à dire. Ça fait plaisir à vos pères, de vous savoir proches.

Les vendredis, les jeudis souvent aussi, Cousin Fred sort de chez Alberti Johnson vers vingt heures; toi, t'es généralement sorti du bureau vers seize heures. Souvent, ton oncle et ses associés vont prendre un verre quelque part dans le Mile-Ex, pour célébrer la fin de la semaine. Parfois tu les suis, parfois tu files directement au Atwater Club pour un deux heures de CrossFit; parfois tu fais les deux, et pendant ton entraînement tu regrettes amèrement d'avoir bu. Vous vous rejoignez dans un resto du centre-ville, Cousin Fred insiste pour payer la facture chaque fois, évidemment; pas que ça ferait une si grosse différence pour toi si tu la payais : au bout du compte, l'argent viendrait toujours d'ailleurs, de Papa en l'occurrence. Parfois Raphaëlle vous rejoint, parfois pas. Selon la tenue d'événements, ou pas, vous vous retrouvez vers vingt-trois heures ou minuit soit dans un bar, soit dans une salle événementielle quelconque. Ça commence avec le Grand Prix, début juin, et après c'est un feu roulant. Chaque fois vous commandez une ou deux bouteilles de mousseux, pas mal de bière, vous jasez avec des gens que vous connaissez de loin, Cousin Fred te présente une fille, souvent tu rentres avec elle. Le lendemain t'as mal à la tête et t'es dans un endroit de la ville que tu connais pas. Si t'as encore de la batterie sur ton téléphone tu textes Cousin Fred, vous allez bruncher, souvent avec Raphaëlle. Vous vous racontez le fil de la soirée de la veille, vous allez au Atwater Club si Cousin Fred a pas à rentrer au bureau, vous recommencez le samedi soir. Parfois tu vomis.

Une fois où vous êtes pas particulièrement inspirés en matière de destination et que la pluie vous a chassés d'un événement extérieur dans le Vieux-Port, vous vous retrouvez dans une place crade sur le Plateau. Vous êtes les deux seuls à être suit up et vous jurez sauvagement avec les hipsters en camisoles et les skaters qui ont pas reçu le mémo disant que Tony Hawk était cool en 2002 mais pas après.

Contre toute attente, vous bénéficiez de l'attrait de l'exotisme. Vous êtes les seuls dans ce trou à arborer un visage sans poil. Une rare pureté, ici. Le strict minimum, là où vous vous tenez normalement.

Il y a cette comédienne qui attend, la gueule ouverte, au fond du bar, comme une plante carnivore. Un piège à mouches.

C'est cette comédienne que la présidente du comité d'organisation de la soirée B de Stop Suicide Montréal avait voulue comme animatrice et qui avait fait une job passable.

Tu la surprends alors qu'elle essuie le restant d'un shooter de Jack qui ruisselait le long de son menton.

- Peut-être que tu te souviens pas de moi, tu dis.
- Excellent guess.

Elle te répond comme si t'étais une sous-merde. Ça semble être sa posture standard, devant les êtres humains. Pas l'air d'une fille qui perd du temps à vernir ses relations interpersonnelles. Tu voudrais être comme ça, souvent : tout ce temps qu'on gaspille en politesse, on pourrait le rentabiliser en l'investissant dans des activités plus productives. Elle cherche de l'aide dans le regard de ses amis, des acteurs tous les trois. La reine de la vacuité entourée de sa cour insipide. T'as vu leur gueule sur des affiches, des programmes de théâtre. Une blondasse, regard sulfureux, smoky eyes, jambes de deux kilomètres. Un petit malingre avec des lunettes victoriennes. Un grand douchebag bâti comme un baril qui a l'air prêt à grimper une montagne ou à dépecer un ours. Ils t'intimident, tous les trois, avec leur poker face : la tactique de cette comédienne fonctionne.

- J'étais sur le comité de financement pour Stop Suicide Montréal, tu dis.

Elle plisse les yeux. Le genre de fille qui a un détecteur à bullshit extrêmement acéré.

- Je m'en souviens, je pense.

La musique s'estompe, autour; l'éclairage se resserre autour de toi et d'elle. Le monde extérieur cesse d'exister : stase. Tu respires par la bouche. Une morsure du regard. Cette comédienne t'attire. T'aimes pas ressentir du désir. Ça te fait sentir faible. Il y a déjà trop de manques, dans ta vie. Il faudrait pas en plus créer un besoin nouveau. Comme celui du corps, petit et d'apparence incroyablement ferme, d'une certaine petite comédienne qui devrait pourtant t'inspirer du mépris. Vouloir une fille, c'est comme vouloir l'attention d'un recruteur. Ça te soumet. Tu veux pas, tu peux pas être soumis dans toutes les sphères de ta vie. Ça coûte trop cher en énergie, et en santé mentale.

- Oui. Je m'en souviens, elle répète.

Elle a arrêté d'envoyer son regard ailleurs.

- On a trouvé que t'avais fait une belle job. C'était une belle soirée. Je suis nouveau là-dedans, quand même, je connais rien, mais j'ai trouvé ça ben le fun, donner du temps à la fondation, aider à organiser ça.

Ton débit est rapide, nerveux. Elle est imperturbable. Elle dit :

- Ouais. C'est une bonne fondation.
- C'est gentil de nous avoir donné de ton temps.
- L'organisatrice c'est une amie de ma mère. J'aurais été mal de dire non.
- C'est cool de ta part, quand même.
- J'imagine que c'est ça qu'y faut faire dans' vie.

- Je pense qu'y a pas de guide préétabli pour ce qu'y faut faire dans' vie.
- Une hostie de chance parce que je le lirais pas.

Il y a quelque chose de vulgaire, chez cette fille. Ça te repousserait, normalement, mais ça provoque tout le contraire, en ce moment. C'est peut-être plutôt une franchise désarmante qu'une réelle vulgarité. Il y a son corps qui ne nuit pas, non plus : Aurélie avait beau être sportive, elle avait toujours conservé un aspect fragile, que tu trouvais infiniment sexy, mais cette comédienne, plus petite, mais plus bâtie, presque musclée, avec son air solide, pugnace, te fascine. Elle semble prête à te faire un jab à tout moment. T'es certain qu'elle en serait capable, et que ça te ferait mal, et que t'aimerais ça.

- Pis toi, elle dit, tu fais ça pourquoi?
- Je trouve que c'est une bonne cause.

Elle roule les yeux, dit :

- La vraie raison, mettons.

Sa façon de faire la conversation, comme un bulldozer.

- Ça peut pas nuire, de l'implication dans ma communauté, pour décrocher un poste dans un bon cabinet d'avocats. Je suis en droit. UdeM.
- Mon Dieu que je serais pas bonne pour bullshiter de même.
- Ça s'apprend.
- Je serais à chier, comme avocate.

- Je pensais que les actrices étaient les reines de la bullshit.
- Tu connais beaucoup d'actrices?
- Je me fie à ce que j'entends.
- Tu devrais pas.

Elle te lâche pas des yeux. T'as toujours envie de baiser toutes les filles, surtout depuis que t'es célibataire, mais jamais elles te brûlent le ventre comme ça, avec juste un regard. Il faudrait t'enfuir.

- Tu veux que je cut the bullshit, je vais cut the bullshit, elle dit.
- Je t'écoute.
- Couche avec moi.

Le temps suspendu. Ses lèvres tout près des tiennes. Sa main sur ta nuque. Bouche humide et brûlante.

- Maintenant?
- Le time frame est négociable.

Les lumières du last call s'allument. La grande blondasse arrive avec deux shooters de Jack. Elles trinquent.

- C'est qui, lui? la blondasse demande, irritée.
- Je le connais, c'est bon, cette comédienne répond.
- Sorry, je t'ai pas pris de shot, la blondasse dit.

T'as rarement vu des excuses aussi peu sincères. Elles avalent leur shot. La blondasse tousse et dit, en s'essuyant la bouche avec le revers de sa main :

- On va où?
- Chez moi, cette comédienne dit.

Elle habite un appartement complètement bordélique à quelques minutes à pied du bar. L'appartement a ce que les agents immobiliers appellent « du cachet », ce qui signifie que ça mériterait un peu de rénos, même si ça a probablement coûté la peau du cul à l'achat. Les murs sont couverts d'affiches de films, les siens ou d'autres, tu sais pas; si tu devais décrire poliment la place, tu dirais que c'est décoré de manière assez *baroque*, si tant est qu'on puisse dire que c'est décoré. C'est bordélique, ça sent un peu le renfermé, le cul, et la clope. Ça a été acheté à prix d'or et c'est entretenu comme une chambre d'ado : quel luxe, quand même, que d'être aussi jeune, avec aussi peu d'éducation, et aussi peu d'intelligence, et d'avoir pourtant autant d'argent, et de liberté. Tu vacilles, quand tu te mets à penser à sa vie : quelque chose en toi veut la haïr, mais tu te mets à la regarder, et ton mépris cède la place au désir.

Cousin Fred a eu l'autorisation de vous suivre, après approbation de cette comédienne. Les règles d'accession au club privé semblent strictes.

Le douchebag et le malingre se sont installés à la table à café pour préparer des tracks de poudre. Cousin Fred, écrasé dans le divan, parle avec la blondasse d'une pièce atroce dans laquelle il l'a vue jouer, au théâtre Jean-Duceppe.

- Putain que j'ai hâte à la première, cette comédienne dit, en venant s'installer à la table pour sniffer sa track.
- Fuck yeah, le malingre dit. Je peux pas croire que c'est dans une semaine.
- Ça va être malade, le douchebag dit.

Tu finis par comprendre, sans poser de questions (il faut éviter de poser des questions, avec eux, tu saisis rapidement), qu'il est question de la première d'un film que le petit malingre a réalisé. Cette comédienne a déposé sur la table des bières dont tout le monde se saisit. T'en ouvres une et tu la tètes en silence, en les écoutant parler. Le douchebag dit à la blondasse, qui a maintenant le visage à deux pouces de celui de Cousin Fred :

- Ton audition, Estelle, c'était comment?
- Malade, j'ai vraiment connecté avec le réal, elle répond.
- Toujours pas de news?
- Nope.
- Hasch? le malingre demande.

Tout le monde fait non de la tête; il aspire seul la totalité de la fumée qu'il a fait apparaître dans son deux litres de Coke. À mesure que la poudre embarque, la conversation s'effrite, les rebonds deviennent plus difficiles : ils s'écoutent tous de moins en moins, parlent de plus en plus fort, se coupent la parole, et quand ils arrivent à communiquer une information, même triviale, ils s'extasient, comme s'ils étaient touchés par la grâce. C'est un peu irritant, comme voir un groupe de gens parler dans une langue étrangère en tentant de comprendre, de s'immiscer. D'autant plus que la conversation finit par ne tourner qu'autour d'eux : ils se lancent des fleurs à eux-mêmes ou entre eux, commentent ce qu'on a dit d'eux, de leurs performances, dans les médias, sur les réseaux. Ces gens, comprends-tu, n'ont qu'un intérêt : eux-mêmes. Aucune anecdote racontée autour de la table ne concerne quelqu'un d'autre qu'eux, et ne les dépeint autrement que comme des demi-dieux. Ça semble leur réussir : à les voir, comme ça, ils ont l'air incroyablement heureux.

La blondasse est installée à califourchon par-dessus Cousin Fred, maintenant. T'es pas certain, mais tu crois qu'il est en train de la doigter.

- On rentre? elle lui murmure dans l'oreille.

Il fait un oui de la tête très enthousiaste. Ils partent en volant des bières de route, dans le frigo.

- Je peux dormir avec toi? le malingre demande à cette comédienne.
- Fuck non, elle répond.
- Viens man, je te ramène, le douchebag dit.

Vous laissant tous les deux dans le salon qui baigne dans une épaisse brume de fumée de clope immobile. L'élastique qui s'était formé entre vous au bar s'était étiré, le temps de l'after; il se distend, maintenant, vous ramène l'un vers l'autre.

Tu respires de nouveau par la bouche, les yeux à moitié ouverts. Elle t'embrasse. Sa bouche est brûlante, sa salive presque sucrée.

- Déshabille-toi, tu souffles.

Reprendre le contrôle de la soirée. Cette fille a trop de pouvoir sur toi. Son corps est incroyable. Tout est dur. Sa peau est cuivrée et parfaitement lisse au toucher. Son ventre est plat, sauf pour le rebond discret de ses abdominaux. Elle t'amène sur son sofa. Malgré ses manœuvres d'évitement, tu descends vers sa chatte. L'odeur de sa sueur, concentrée dans ses poils pubiens, est florale. Dès que tu commences à la lécher, elle écarte encore plus les jambes : c'est gagné, elle aime ça, même si elle était pudique, peut-être soucieuse de son hygiène. Tu pousses bien sur ses cuisses en enfonçant ta langue, parfois tu passes une main sur son ventre; t'en reviens toujours pas de sa fermeté. Ta queue cogne presque contre ton jeans, que t'as même pas pris le temps d'enlever encore.

Sans trop penser à ce que tu fais, tu la retournes, t'écrases son visage contre le fond du divan, tu lui relèves le cul et tu lui mords une fesse. Tu passes ta langue de sa chatte à son périnée à son cul. Elle veut bouger, probablement s'éloigner, mais tu la retiens en posant une main sur son dos et t'enfonces ta face profondément entre ses fesses. Ta salive descend jusqu'à sa chatte.

Elle se retourne vers toi et dit, à bout de souffle :

- Qu'est-ce que tu fucking fais?

Tu continues quelques secondes avant de répondre, le temps de lui faire pousser un petit gémissement.

- Mais t'aimes ça, tu dis.

Bouche bée, elle renfonce sa tête dans le fond du sofa. Tu continues quelques instants, puis tu te relèves. Tu l'attrapes par la mâchoire pour la forcer à se relever. Tu diriges chacun de ses mouvements pour l'emmener vers sa chambre. Tu la forces à s'agenouiller devant toi en appuyant sur sa tête. Tu contrôles le rythme de la fellation qu'elle te donne en la tirant par les cheveux, avant de finalement fourrer sa bouche, carrément. Elle bave et elle morve et elle râle. Tu lui bouches le nez pendant quelques secondes; elle rougit, panique. Tu lui tapotes la joue avec ta queue.

Garder le contrôle.

Tu la retournes et tu pousses son torse contre le rebord du matelas. Ses genoux cognent contre le sol. Elle relève le cul, docile. Tu plies légèrement les genoux et t'approches ta queue des lèvres de sa chatte. Elle est complètement mouillée. T'entres d'un coup : petit cri de douleur, entre ses dents. Elle a de l'orgueil, clairement. Veut tenir tête. Tu te mets à la baiser plus fort en tenant ses poignets bien fermement contre son dos. Elle a pas un seul mot à dire sur le déroulement, et de toute façon, elle aime clairement ça. Quand te sens près de venir, t'agrippes ses fesses musclées bien fermement avec tes mains, pour te donner du rebond, bien sentir ta queue cogner au fond de son vagin. Tu lui donnes deux grosses claques, en venant.

Vous finissez en eau, malgré la clim, toi écrasé sur son dos, elle écrasée contre le matelas.

T'es venu en hurlant, comme si on était en pleine nature. Rien à foutre des voisins. Ce sont pas les tiens. C'est libérateur, de pas avoir à te soucier de tes parents, ou de ceux d'Aurélie, en fourrant. Bien beau vivre dans de grandes maisons, vous étiez pas à l'aise, ni l'un ni l'autre, d'étaler votre vie sexuelle devant vos parents et vos beaux-parents.

T'entends le voisin se lever, au troisième. Tu demandes si c'est vous qui l'avez réveillé. Ça t'amuse.

Cette comédienne s'assoit au bout du lit pour s'allumer une clope. La fumée s'élève au-dessus d'elle. Chaque petit mouvement révèle des détails dans la magnifique sculpture de son dos : ses deltoïdes, ses trapèzes, son grand dorsal sont parfaitement définis, sans être trop proéminents. Son corps respecte le nombre d'or.

- Je pensais pas que je banderais, tu dis.
- T'as des problèmes érectiles?
- J'en ai eu.
- C'est toute dans' tête. Tous les gars de vingt ans ont des problèmes érectiles, de nos jours.
- Oui, non, enfin... Ouais. Je disais ça à cause de la coke.
- T'avais un problème de coke?
- Non, non, non.

Un temps de malaise.

- J'ai pas fait ça depuis genre secondaire cinq, tu dis.

- Fourrer?
- De la poudre.
- Je vais le prendre comme un compliment.
- Que j'aie fait de la poudre avec toi?
- Que t'aies bandé malgré la poudre.

Elle s'est retournée un peu vers toi pour te parler. T'as eu droit à une parcelle de son sein droit.

- T'es vraiment très belle.

Elle te tourne le dos de nouveau, comme pudique.

- Merci.
- Mais ça tu le sais, je devrais pas te le dire.
- Qu'est-ce t'en sais.
- Je guess.

Une pause.

- Tu t'en souviens probablement pas, mais on a eu un cours de littérature ensemble, à Brébeuf, tu dis.

Ça la fait rire.

- Fuck, man. Aucune chance que je m'en souvienne. Je pense que j'ai lâché Brébeuf après trois semaines.

Tu sens la drogue qui s'en va de toi tranquillement, par vagues. L'extase qui meurt tranquillement, comme un party qui perd son momentum, sous les yeux désespérés de l'hôtesse. Ta confiance qui fond comme neige au soleil.

Tu voudrais dormir avec elle. Il faut que tu partes bientôt. Très bientôt. T'as perdu le contrôle de la situation, depuis que t'es venu, et ça commence à t'angoisser.

- Une drôle de gang, toi pis tes amis, tu dis en regardant le plafond.
- Drôle?
- Différents.
- De?
- Du monde que je vois à l'université.

Tu te lèves, t'essaies de retrouver tes bas, tes bobettes.

- Différents comment? elle demande.

Tu entres dans tes jeans. Tu hésites un instant, puis tu dis :

- Insouciants.
- J'essaye de pas trop me poser de questions, dans' vie.
- C'est une bonne affaire, je pense.

Obsédée qu'elle semble être par son apparence, son standing, ses partys insipides avec ses amis vides comme les pierres, évidemment qu'elle a pas le loisir de se poser des questions. Elle est probablement plus heureuse que tu ne le seras jamais. Vide et heureuse. Elle ajoute :

- On aura en masse le temps d'avoir des soucis quand on sera vieux, anyway.
- Si on se rend là, ouais.
- T'avais l'intention de mourir bientôt?

Tu gèles sur place, à moitié penché, ton t-shirt dans une main.

- Je sais pas.
- Comme tout le monde, hein. On se dit toutes qu'on passera pas vingt-sept ans, pis paf, j'imagine qu'un moment donné on se réveille vieux pis gras.

Elle dit ça avec un petit rire. Rien de tout ça a l'air de lui faire mal, ou de l'angoisser.

- Bonne nuit, tu dis.
- T'aurais pu dormir ici, si t'avais voulu.

Ça aurait eu l'air d'une invitation ouvrant à plus, si elle avait pas ajouté :

- Ici, pas ici, je m'en fous, moi. C'est chill.

Elle hausse les épaules. Désinvolte. Candide. Le monde entier pourrait lui couler sur le dos, et elle resterait impassible.

Si seulement tu pouvais être elle.

T'as été invité, en tant qu'employé de la boîte de ton oncle, à la crémaillère du gars de Dascal Mackenzie. L'appartement est encore plus impressionnant que dans les dessins de concept : le plafond est haut de deux étages sur une grosse partie de l'appartement, les lignes sont pures, tout est en blanc et en essences naturelles de bois assez pâle, et vous avez une vue à trois cent soixante sur Montréal. Un spa scandinave qui surplombe la ville.

Il doit y avoir une soixantaine de personnes dans la place, et c'est même pas un peu proche de paraître bondé. Ton oncle t'a demandé d'inviter des amis; tu présumes que ces gens-là aiment avoir des jeunes dans leurs partys, ça leur donne l'impression d'être encore dans le coup. La seule personne que t'as trouvée à inviter, c'est Cousin Fred. T'as pas voulu inviter de gens de l'école, avec qui t'as des contacts ténus de toute façon, et qui auraient été que trop contents de lécher le cul d'un associé dans un grand cabinet.

Ton oncle t'a présenté au gars de Dascal Mackenzie. Sa poigne est vigoureuse.

- On s'est croisés à un quatre à sept, me semble, il dit.

- Oui, je suis allé à un événement, à l'automne. À vos bureaux.

Y a six mois, t'aurais capoté que ce gars t'adresse seulement la parole. Là, maintenant, tu t'en fous, on dirait. T'as à peine repensé à l'école depuis que t'as eu ton relevé de notes. Même quand Cousin Fred te parle de ses journées chez Alberti Johnson, ça te semble lointain, comme s'il te parlait d'une usine de chocolat, ou d'ingénierie. Tu te rends compte que tu sais même pas si tu veux revenir à l'école à l'automne, comme si la suggestion d'Aurélie avait fini par faire son chemin. Il te faudrait un plan B, éventuellement. Et accepter que tu vivras jamais dans un appartement comme celui-ci.

Le gars de Dascal Mackenzie continue :

- Oui, je m'en souviens. Vous avez joué au volley pour Brébeuf, non?
- Exact.
- Oui, je m'en souviens, on a jasé de volley. Dommage que vous soyez pas sur les Carabins. J'ai joué pour les Carabins, moi aussi, au volley.

Une pensée pour le gros Carabin. Combien de fois bénéficie-t-il d'une amnistie pour sa grossière imbécillité grâce aux Carabins? Les gens applaudissent-ils sans cesse sa capacité à conjuguer le sport et la course au stage?

Folie. Cesser d'y penser, maintenant : t'allais presque bien.

Le gars fait six et trois, facile. Il doit avoir quarante-cinq ans, mais il est encore clairement très athlétique. Longs bras, bonnes épaules : il devait avoir un smash brise-nez.

- Mais, un moment donné, faut faire des choix, hein, il ajoute.

Tu détournes les yeux vers les points de lumière épars de la Rive-Sud en acquiesçant. Peut-être que c'est ce que t'aurais dû faire, finalement. Continuer le volley. Ça t'aurait permis de décompresser. De t'aligner l'esprit sur autre chose. Mais comment est-ce que t'aurais pu faire entrer vingt heures de volleyball dans ta semaine sans couper sur l'étude, alors qu'il faudrait plutôt que tu rajoutes de l'étude? Ça, tu comprends pas trop. Le gars continue :

- Si vous avez en tête de te trouver un bon stage, c'est effectivement une assez bonne décision.

T'aurais effectivement peut-être dû faire les Carabins, finalement. T'es pas mal certain que le volley universitaire cause moins de dépressions que la course au stage. Une ou deux blessures, une luxation du genou, peut-être. Quelque chose de certainement moins lourd à porter.

- Pis vous travaillez aussi pour votre oncle?
- Oh, ouais, mais c'est juste une job d'été.
- Une sacrée job d'été, quand même. Y en a qui travaillent dans des restaurants.
- Y en a qui ont des stages à l'ONU.
- Une sacrée bonne boîte, quand même, le bureau de ton oncle. C'est difficile à croire, mais quand j'ai mis le pied

ici, j'ai trouvé ça encore plus beau que les dessins de concept. T'es chanceux de travailler là.

Le tutoiement, maintenant.

- Je vais juste là où on cultive l'excellence, tu dis.

T'as dit ça avec un sourire, en haussant les épaules. Une détente dont tu t'es pas vu faire preuve depuis tellement longtemps. Juste parce que tu t'en fous, du gars de Dascal Mackenzie.

Ça le fait rire.

- Ça fait justement partie de notre culture d'entreprise, chez Dascal, cultiver l'excellence.

Il fouille la poche intérieure de son veston, produit une carte d'affaires.

- On aura amplement le temps de se reparler, mais je voulais que tu saches que ton profil nous intéresse beaucoup.

Ta bouche qui veut articuler *mais je vais même pas revenir en droit, ça veut plus rien dire, tout ça.*

- Vous vous prenez d'avance, tu dis finalement.
- La rentrée est dans un mois. T'es presque déjà en deuxième année, non?

Il faudra faire ton choix de cours bientôt, c'est vrai. Ça officialiserait ton retour.

- On n'a pas de temps à perdre. You snooze, you lose.

Il a dit ça en te donnant une tape sur l'épaule et s'est éloigné pour poursuivre sa corvée d'hôte. Tu cales ce qui te reste de champagne dans ta flûte. Tu te demandes comment, et par qui, il aurait pu entendre parler de toi.

Cousin Fred apparaît derrière toi.

- André Derome, de Dascal Mackenzie, il dit.
- Je sais.
- Qu'est-ce qu'y avait de bon à dire?
- C'est chez lui, ici.
- Fuck, man. Crisse de beau palazzo.
- Ouais.
- J'avais eu une entrevue avec, quand j'ai fait la course. Y'est le fun. Faque y te voulait quoi?
- Je sais pas, y m'a laissé sa carte.
- J'en connais un qui va avoir une entrevue chez Dascal cet hiver, moi.
- On a juste jasé.
- Combien de candidats vont avoir été présents à la crémaillère d'un recruteur, tu penses?
- Je sais même pas si je reviens au bacc cet automne.

Il éclate de rire.

- T'es fucking hilarant, man.

Il regarde autour de lui en sirotant sa bière.

- On décrisse-tu? Y a pas de filles, c'est à chier. Pis je file tannant à soir.

- À soir particulièrement?

- J'ai réussi à m'éviter un mandat, en fin de semaine. Me suis caché dans les toilettes, entre seize heures pis dix-sept heures, pour être certain de pas me faire donner d'assignation par un avocat pour le week-end. Faut que je fourre, là.

- Il se passe quoi avec Raph?

- Fini, ça.

- Ah. Pour?

- Sa mère a passé au feu.

Tu regardes autour. André Derome te fait un signe de la tête. Ton oncle, à côté, lève son verre dans ta direction. Évidemment que son explication n'a pas de sens, mais son ton n'invite pas à poser plus de questions.

- Elle était assurée par Assurance Métro, il poursuit.

- Okay.

Cousin Fred a le regard dans le vide, dehors. Le phare de la Place-Ville-Marie le balaie, régulier. Son visage te paraît creusé, tout d'un coup. Moins étincelant de santé qu'à l'habitude.

- Sa mère a laissé le four ouvert en partant pour le chalet. Four au gaz. La cuisine a pogné en feu. Ça a mis le feu au bloc. C'est dans Rosemont, son bloc. Ça a brûlé vite, ça s'est répandu sur les deux triplex voisins. Une couple de millions de dommages. Assurance Métro veut pas payer. Ils ont trouvé une faille, dans le contrat. Un mot, dans une annexe, qui parle de « pleine conscience » dans un cas de négligence. Assurance Métro est un client d'Alberti Johnson.

Une femme éclate de rire, derrière vous. Bruits de verres qui choquent.

- Raph a su que c'était Alberti qui travaillait pour Assurance Métro, pis elle a pogné les nerfs après moi. Elle a dit que ç'avait pas de bon sens, travailler pour une compagnie qui peut être aussi chienne avec le monde. En même temps…

Un étranglement, dans sa voix.

- Un contrat c'est un contrat, tu offres.
- Exact. Oui. Si c'était pas correct, ce serait pas légal. C'est plate pour sa mère, mais c'est de même, elle l'avait signé, le contrat. Elle avait dit oui à ça.
- Ouais. Mais toi… t'es chill avec ça?

Un tic de tête. Il se remet à sourire.

- Ben oui. Faut juste je fourre, à soir. Ça va être correct.

Le plus excitant de la rentrée, c'est l'initiation.

Cousin Fred avait raison de rire de ton envie d'abandonner : évidemment que t'allais revenir, arrêter aurait demandé un plus grand effort que te laisser porter par le courant, et continuer. Annoncer tout ça à tes parents, trouver quelque chose à faire de ta vie dans les mois à venir : ça aurait été beaucoup trop pour toi.

T'as fait tes choix de cours à l'heure même où le portail a été mis en ligne. T'as acheté tes livres. Un bon élève, comme toujours.

Et maintenant, un an après ton initiation, tu te retrouves toi-même à interroger les nouveaux sur l'histoire de la faculté de droit de l'Université de Montréal.

Vous êtes au café de droit, ce soir. En guise d'offrande (vous avez innové en exigeant des offrandes de la part des nouveaux, cette année), deux première, une fille et un gars, ont accepté de servir de plateaux de sushis humains. La fille est gymnaste, très petite, une musculature longue et équilibrée : parfaite. Le gars te fait chier, t'as entendu dire qu'il est plongeur, il a lui aussi quelque chose comme un corps parfait.

Les gens qui obtiennent pas la note de passage à votre quiz historique, vous leur faites avaler un poisson rouge entier. C'était pas prévu, mais ça fait un joli raccord avec l'offrande de sushis.

Il y a cette petite première, minuscule et délicate, les traits foncés, un peu latine, qui a eu sept sur dix au quiz. Elle a accepté d'avaler un poisson, par défi. L'a fait en te regardant dans les yeux. N'a pas vomi. T'as bandé. Le turn-on le plus étrange et déviant de ta courte vie sexuelle.

Le grand dadais qui a avalé un poisson après elle a vomi en trente secondes, au milieu de la place. Vous avez dû mopper le plancher. Elle t'a aidé.

La fille a continué à boire des quantités assez épatantes d'alcool, en shots et en pichets, pendant une longue partie de la soirée. Plus que t'en serais capable toi-même. Incroyable, aussi, qu'elle soit aussi délicate : ça ne pourra pas durer longtemps, certainement.

Le party s'est lentement désintégré autour de vous, jusqu'à vous laisser presque seuls, pendant que les quelques deuxième encore un peu sobres finissaient de nettoyer le café. Cousin Fred t'a texté qu'il t'attendait, dans un party avec du monde d'Alberti Johnson.

- Allais-tu quelque part? tu demandes.
- J'allais rejoindre des amis, dans un autre party.
- Moi aussi.
- Okay, on se reprendra d'abord.
- That's it?

Trop insistant : retiens-toi.

- C'est quoi, ton party? tu demandes.
- Des amis stagiaires chez Alberti.

Première année, probablement même pas déflorée, incroyablement chaude, et déjà ploguée dans un grand cabinet : envie et désir. Tu dis :

- On s'en va à' même place, je pense. Tu veux un lift?

Elle te traîne hors du café, marche deux pas devant toi. Elle porte un pantalon noir extrêmement moulant : callipyge. Un cul comme tous les culs devraient être. Les gens qui chient sur les standards de beauté t'emmerdent. Évidemment que les standards de beauté sont une construction sociale. La capacité d'une fille à s'y conformer démontre une rigueur et une force de caractère qui t'allument, justement.

Tu dois presser le pas pour la suivre. Les portes massives de l'entrée s'ouvrent devant vous; l'air du soir est agréable, encore doux. La Place de la Laurentienne est complètement déserte. Tu fais clignoter les phares de la Wrangler avec le démarreur à distance. Tu fais un pas vers elle. Tu penches ta tête dans sa direction. Elle esquive ton baiser.

- Tu cours après le trouble, toi, elle murmure.
- J'adore le trouble.

Tu ouvres la porte côté passager. Elle monte.

- Really? elle demande, amusée.
- J'essaye de démontrer un peu de savoir-vivre.
- Je me méfie des gars galants, normalement.
- Parce que t'es une féministe enragée?

Tu fais caler le moteur, en disant ça.

- T'es soûl, elle dit.
- Oui. J'adore le trouble.

Elle te fait descendre vers le centre-ville. T'amène vers une entrée crade, dans une ruelle, en suivant des indications sur son téléphone. Sketchy. Vous avez trois étages à monter, dans des escaliers de métal qui sentent la pisse et la bière séchée, le sexe aussi, un peu. Tu la laisses passer devant, pour admirer ses fesses.

Ça débouche sur un loft résidentiel qui jure avec la cage d'escalier. C'est propre, luxueux, ça a l'air fraîchement rénové, bien meublé, et c'est rempli de gens suit up, pour la plupart assez beaux et âgés de moins de trente ans.

- Bro!

Cousin Fred apparaît au milieu de la foule. Les deux boutons du haut de sa chemise sont défaits. Sa cravate est desserrée. Son visage est couvert de sueur.

- Comment tu vas, man?

Tics de mâchoire. Survolté. Sur le sectionnel en cuir noir, deux filles en robe sont assises et préparent des lignes de poudre sur la table en verre. Cousin Fred te serre fort dans ses bras. Il a perdu de la masse, tu remarques. Ses épaules et sa poitrine sont moins épaisses.

- T'arrives de l'initiation? il demande.
- Oui.

La petite première file vers la cuisine, se prend une bière dans le frigo sans rien demander à personne, t'en lance une. Vous faites un toast à distance.

- C'est qui, elle? Cousin Fred demande.
- Une première.

Il te traîne vers la salle de bain, verrouille derrière vous. Il sort un sac de poudre, se prépare une clé.

- T'en veux?
- Non, je veux bander à soir.
- Tu rentres avec la première?
- J'essaye, ouais.

Rire gras. Il est particulièrement cerné, ce soir. Cerné, creusé, verdâtre.

- Pis ça se passe, Alberti? tu demandes.
- Ouais. Ouais. Dernière semaine de l'été, là… Je me mets sur le Barreau la semaine prochaine.

Un soupir tendu.

- Est-ce que ça va? tu dis.

Il coupe sèchement, presque agressif :

- Quessé que j'ai? J'ai-tu dit de quoi?

T'avais jamais vu Cousin Fred perdre patience.

- Non, rien, rien. C'est une christie de belle salle de bain, ici, hein.

Tu reconnais de la céramique de chez Ramacieri Soligo. Ta mère t'avait emmené en magasiner avec elle quand ils ont refait ta salle de bain, l'an dernier. La plomberie de la douche semble robuste, d'une propreté digne d'un centre de décontamination.

- Ouais, c'est à un gars d'Alberti. Belle piaule.

Tu retournes voir la petite première, dans la cuisine. Elle jase avec deux associés d'Alberti. Elle semble connaître du monde, cette fille. Beaucoup de monde. Pas juste deux petits stagiaires sans envergure. En plus, elle sait naviguer dans un party : impressionnante.

- Tu me fuis? elle dit.
- Sorry. Je jasais avec mon cousin. L'ai pas vu depuis une couple de semaines.
- Je vais pas m'éterniser ici, j'ai quand même un cours demain.

Tu regardes ta Tissot. Il est seulement vingt-trois heures cinquante-neuf.

- Y'est encore tôt, tu dis.

Elle te montre son iPhone : cinq heures quarante-huit.

- Fuck, tu dis. Ma montre est pétée.

C'est la trotteuse qui est coincée : elle continue de bouger, mais oscille autour de la vingt-cinquième seconde, comme engluée là. La première prend ton bras avec une poigne exagérée, pour quelqu'un qui veut seulement regarder ta montre. T'as l'impression que sa peau fuse avec la tienne.

- C'est beau.
- Elle était à mon grand-père. Vrai vintage.
- Je parlais du bras. Mais la montre est correcte aussi.
- Je pisse pis on y va, si tu veux.

Cousin Fred est encore dans la salle de bain, quand tu retournes pisser. Il est torse nu, le visage à moitié couvert de crème à raser.

- Tu traînes ton kit de toilette avec toi? tu demandes.
- J'ai fouillé, il répond. Oh, tabarnak…

Il se coupe en se rasant, près de sa pomme d'Adam : sa main tremblait. Il éponge le sang avec un mouchoir. Il jette un œil sur sa Apple Watch.

- Faut que je sois au bureau à six et demie, si je veux finir mes shits à temps. J'ai pas le temps de repasser à' maison.

Tu le regardes finir de se raser en pissant. Vous avez cette intimité, toi et Fred. T'es pas certain, mais tu crois que vous avez déjà pris votre bain ensemble. Il se débarbouille le visage, s'applique un aftershave trouvé dans le premier tiroir de la vanité, reboutonne sa chemise, refait son nœud de cravate.

Il appuie ses mains sur le comptoir, laisse sa tête pendre. L'air d'être en profonde réflexion, ou sur le point de s'effondrer. Tu passes à deux doigts de lui demander à nouveau si ça va, par réflexe, mais tu t'en empêches à temps.

Voyant que tu le fixes, il se relève, se fait une ligne de poudre à côté du lavabo, renifle, s'inspecte dans le miroir. Un spectre. Il prend le parfum qui traîne à côté du robinet, s'en vaporise sur le cou.

- Bonne journée, bro, il dit en partant. Faudrait prendre un verre bientôt.
- Certain, man.

La première t'attend patiemment dans l'entrée. Tu dis, en descendant l'escalier avec elle :

- Comme je suis galant, je vais te ramener chez toi, évidemment.
- Tu parles si c'est fin.

Elle te dirige vers chez elle. Grand rez-de-chaussée, probablement six ou sept et demie, avec cachet, dans Rosemont : très estudiantin. Probablement une fille de classe moyenne, classe moyenne aisée, soutenue par ses parents, sûrement banlieusards.

Il y a une place de stationnement juste devant chez elle. Tu y laisses la Wrangler. Tu enlèves les clés du contact.

- Qu'est-ce que tu penses que tu fais? elle dit.
- Je sais pas. Qu'est-ce que tu penses que je fais?
- Légalement, mettons...
- Ouais?
- On pourrait facilement arguer en cour que mon consentement est vicié.
- Why?
- T'es en position d'autorité, non?
- Mais t'es pas mineure.
- Ma fête est en septembre. J'ai sauté une année.

Elle te montre son permis de conduire. Un sourire mi-fier, mi-cruel. Une habituée du mindfuck, visiblement.

- T'es une bonne élève, donc.
- Bonne en classe.
- Pis ailleurs?
- Très vilaine.
- Oui, t'as l'air d'avoir besoin de te faire remettre à ta place.

Ça la fait sourire.

Tu sors du char pour la suivre. Elle va directement à son frigo, en entrant chez elle. Elle sort une bière.

- C'est tout ce qui me reste. Va falloir partager.

Tu t'approches d'elle pour partager la bière. Cette petite première mesure au moins quatre pouces de moins que toi; tu la regardes de haut, avec insistance, chaque fois que tu lui passes la bière et qu'elle en prend une gorgée. Vos bassins sont très près l'un de l'autre.

- Faudrait pas parler trop fort, pour pas réveiller mes colocs.
- On apprend les vertus du silence, en droit.

Un flottement dudit silence, dans l'appartement. Sa peau sombre est tendue, immaculée. Ce trou, en dedans de toi, quand tu désires une fille. Faudrait peut-être que tu t'en ailles.

- Apprends-moi quelque chose, elle murmure.
- T'es une petite salope.

Elle éclate de rire. Tu l'attrapes par le cou. Sa main enserre ton poignet. Ses yeux sont plantés dans les tiens. Tu la soulèves d'une main : elle est légère comme une feuille. Tu viens l'appuyer contre le mur. Tu la prends par les fesses; elle reprend son souffle en râlant.

Tu la guides vers le salon en la tenant par la nuque. Tu la relâches. Elle se retourne vers toi, confuse. Tu croises les bras. Elle se déshabille.

- Tu vois, c'est ça que je disais.

Tu la pousses. Elle tombe couchée sur le divan. Tu insères ta queue dans sa bouche. T'essaies de trouver un bon angle, mais ça marche assez moyennement, tu sens toujours un peu ses dents.

Tu viens poser tes jambes de chaque côté de son torse, tes genoux bien appuyés contre ses aisselles.

- Une vraie petite salope.
- Juste pas réveiller mes co —

Ta main gauche enserre sa gorge à nouveau. Elle arrive pas à finir sa phrase. Elle tousse, mais semble travailler fort pour s'empêcher de s'agripper à ton bras. Tu arrêtes. Elle bave, reprend son souffle. Tu commences à te masturber. Elle caresse son clitoris. Tu recommences à l'étrangler avec ta main gauche, en continuant de te masturber. Quelque chose en toi retire autant de plaisir, voire plus, peut-être, à la voir chercher son air que tu en retirerais à la baiser. Elle semble encore se battre non pas contre toi, mais contre elle : elle tente fort de ne pas te demander d'arrêter, de toute évidence. Fière. Fière, et mineure, te souviens-tu.

Tu relâches l'étreinte. Son appel d'air est désespéré, sonore, presque un cri d'effroi. Elle halète en te regardant dans les yeux avec défi.

Tu te dis que si elle veut jouer à ce jeu-là, vous allez y jouer à fond la caisse.

Tu lui prends la gorge à nouveau, et tu viens appuyer sur le haut de sa cage thoracique avec ta main droite. Son ventre se gonfle et se dégonfle rapidement. Elle grimace, serre les dents. Ses jambes se mettent à fouetter violemment le divan, derrière toi.

Tu relâches. Ses yeux coulent, elle morve. Son visage est complètement rouge. Elle respire par la bouche, à grandes bouffées. Elle t'envoie une claque au visage.

Tu attrapes ses poignets et tu les écrases au-dessus de sa tête, contre le divan. Tu approches ton visage près du sien, vos nez presque collés, mais pas tout à fait, vos expirations qui s'entremêlent.

Tu regardes loin dans ses yeux noirs.

Quelques gouttes de sueur se sont formées sur son front.

Tu caresses doucement ses seins encore parfaitement ronds : *mineure*, repenses-tu. Tu remontes ta main gauche vers son visage. Tu flattes sa joue. Tu traces le contour de sa mâchoire avec ton index.

Tes doigts descendent vers sa gorge à nouveau. Tu contractes les muscles de ton avant-bras. Un râlement guttural.

Tu tiens ta queue très serrée, tu accélères de plus en plus tes coups de poignet.

Elle vient agripper ton avant-bras à deux mains, te frappe.

Tes abdominaux, tes fesses, tes cuisses, tes lombaires, tes dorsaux, tes mollets se contractent. Ta tête se révulse vers le plafond. Tu échappes un soupir douloureux, gorge contractée. Ta main gauche relâche l'étreinte sur sa gorge.

Ses cheveux sont trempés de sperme, de sueur et de bave. Ses yeux sont vitreux.

Tu essaies de te redresser mais tu ploies; tu viens appuyer tes mains sur ses épaules pour reprendre ton souffle.

Tu te relèves. Tes jambes sont faibles. Tu retrouves tes vêtements.

Elle demeure immobile, sur le divan.

- T'as toujours pas vomi ton poisson rouge, tu dis.
- Ouais. Y doit être digéré, à l'heure qu'y est.

Ses yeux fixent le plafond. Le plancher craque, quelque part dans l'appartement. Le divan a l'air sorti d'un chalet. Il y a un tourne-disque, à l'endroit où t'aurais mis une télé. Tu comptes au moins six plantes.

- Mes colocs vont avoir eu tout un show, elle dit.
- C'est toi qui l'as demandé.
- J'ai demandé ça, précisément?
- Je sais plus. Qu'est-ce que t'as demandé?

Elle hoche la tête en souriant, amusée.

- T'es vraiment un sale pervers, toi.
- Ouais.

T'as commencé à te rhabiller. La dèche a commencé à croûter sur son visage.

- T'es mieux d'être fin, parce que je pourrais vraiment te mettre dans' marde, tu le sais, ça.

Tu t'appuies contre le cadre de porte du salon.

- Faudrait démontrer qu'initier un nouveau, c'est vraiment une position d'autorité, au sens légal, tu dis.
- Mets-moi pas au défi.

Quelque chose dans son regard qui te fait penser à toi, il y a un an : cruauté et pureté à la fois. Confiance naïve.

- Tu fais la course au stage? elle demande.
- Oui.
- Ça va être une grosse année, pour toi.
- La première année était déjà correcte grosse.
- J'imagine.
- Tu veux faire la course, toi?
- C'est précisément pour ça que je suis là.

Elle a l'air taillée dans le bois de ceux qui peuvent survivre à la course. Plus que toi, peut-être. Sûrement. Tu prends une inspiration, tu t'apprêtes à te retourner, à traverser le long corridor vers l'entrée remplie des souliers de ses mille colocs, mais elle te retient, en murmurant, avec sa voix rocailleuse :

- Si t'avais un conseil à me donner, ce serait quoi?

*Cours*, tu dirais. *Si tu tiens à ta santé mentale, cours pour ta vie.*

- Je te dirais de te fier à l'avis de personne.
- Je le savais déjà, ça.
- Pourquoi tu demandes, d'abord.
- Je voulais juste t'entendre le dire. Bonne nuit.

Onze heures, heure de l'horloge de la bibliothèque, puisque ta Tissot est figée dans le temps. L'effet de ton Modafinil commence à s'estomper; ta concentration vacille, et tu commences à cogner des clous. T'hésites à en prendre un deuxième; techniquement ça dure douze heures, et c'est pas comme si t'avais de la facilité à dormir, ces jours-ci. Ça te rend moins nerveux que le Concerta, d'ailleurs t'as presque plus besoin de Rivotril et tu t'es même sevré du Wellbutrin (*mais continuez à voir votre psychologue*, a dit la psychiatre – t'es pas retourné voir la connasse de psy depuis six mois), mais ça demande quand même d'accepter le risque d'être incapable de fermer l'œil.

Il pleut des chaudières, dehors, et ils annoncent au-dessous de zéro ce soir : tout va geler, apparemment. Tu détestes l'automne. Ne pas se laisser distraire par la fenêtre. Ne pas se laisser distraire par la météo. *Travailler.*

Tu te dis fuck off et tu fais sortir un Modafinil de l'emballage, dans ton coffre à crayons, avec un petit *pop*. La provinciale sportive lève les yeux vers toi, mal à l'aise, mais ne commente pas : elle fait ça *nature*, t'as fini par comprendre. La seule drogue qu'elle se permet, c'est le café : cute. T'avales sans trop te soucier des regards autour : tout le monde est absorbé par ses livres.

Tu prendras de l'Imovane ce soir, au pire. Tu pourras aller te chercher un cinq ou six heures de sommeil, ce serait parfait.

C'est comme ça depuis le congé de la fête du Travail. Tu t'attelles derrière tes livres avec le club sélect des section A (sauf le Carabin, qui arrive toujours plus tard), et dans chacun des cours vous êtes *tout à fait* au courant de ce dont il est question, en savourant votre victoire intérieurement, sans jamais tenter de l'étaler. Vous vous regardez, discrètement, sachant très bien que vous faites partie des happy few qui ont une longueur d'avance sur le reste de la classe. Vous savez qu'il faut garder ses amis près, et ses ennemis encore plus. Sauf la petite fille de syndicaliste, évidemment, elle qui ne considère personne comme un réel ennemi : cute.

Ça te réussit bien, ce mode de vie. Peut-être que ta psychiatre avait raison : faut pas trop réfléchir. Garder les œillères fermées. Ne s'intéresser qu'à l'objectif à atteindre.

L'Italien récite le contenu d'une feuille, l'air désarmé.

- Une compagnie d'autobus qui n'a que dix pour cent de son chiffre d'affaires lié au transport interprovincial et dont le reste des activités consiste en du transport à l'intérieur de la province est quand même soumise au droit du travail fédéral, ce qui constitue l'exception en droit du travail, si les activités interprovinciales sont régulières.

- C'est une question ou une affirmation? la provinciale sportive dit.

- C'est une question de l'examen de l'an dernier. C'est pas dit qu'on va avoir cette question-là, mais c'est fourrant, quand même. Faque mettons, là... Si Orléans Express a un voyage par semaine vers l'Ontario, mais que ces billets-là ça représente juste comme cinq pour cent de son chiffre d'affaires, c'est pas assez pour qu'elle soit soumise au code canadien du travail, c'est ça hein?

- Exact, tu dis. Y a une exemption.

- Okay, l'Italien dit. C'est pointu rare.

- Ouais.

*Pointu rare*, penses-tu, amusé, en arrivant à ta voiture, presque douze heures plus tard, avec l'air froid qui te décape le fond des bronches, et alors que tu tentes de déglacer la porte de la Wrangler qui a gelé, à cause du verglas, et que t'essaies de te faire un plan mental pour la journée du lendemain : à quel point tu te sentiras coupable, attardé, si tu arrives une heure plus tard pour te permettre de t'entraîner avant, quoi étudier en premier, quoi rédiger, quoi corriger.

- Hey!

La fille de syndicaliste patine malhabilement sur la Place de la Laurentienne, dans ta direction. T'avais déduit qu'elle était plus du genre STM, étant gauchiste, mais parfois les gens ont une morale à géométrie variable : comment savoir.

- Je voulais juste te dire...

Elle est venue s'appuyer contre la Wrangler pour se stabiliser. Ses cils sont déjà givrés. Son haleine qui se condense en nuages blancs. Elle serait pas loin d'être jolie, si elle s'arrangeait. Elle poursuit :

- Attorney-General for Ontario contre Winner, 1954.

La question d'examen de droit du travail, sur la compagnie d'autobus : c'était faux, ce que t'as dit, évidemment. Il y a pas d'exception. Quand il y a activité régulière interprovinciale, c'est toujours sous juridiction fédérale. Une petite vite, cette fille, quand même.

- T'es wise, tu dis.
- J'ai cherché.
- Tu me faisais pas confiance?
- J'avais raison, on dirait.
- Je sais pas. Je me suis peut-être juste trompé, ce matin.
- Trompé avec beaucoup d'assurance.
- Pourquoi tu me suis jusqu'ici pour me dire ça? Anyway, tu dois être contente que Mike se fasse remettre à sa place.
- Je comprends pas pourquoi vous faites ça.
- Ça fait un an et demi que t'étudies en droit, pis tu comprends pas pourquoi on fait ça?

Elle soupire, excédée.

- Oh, laisse faire. À demain.

Elle se retourne, marche en direction du métro.

- Moi non plus je te comprends pas, tu dis.

Elle s'arrête sec, passe près de perdre pied sur la patinoire qu'est devenu le stationnement.

- Tu penses vraiment que t'es mieux que moi parce que tu vas te retrouver à l'aide juridique ou dans un organisme d'aide à l'immigration?
- Je pense pas que je suis mieux que toi.

Elle grelotte, maintenant. Les nuages devant sa bouche se hachurent.

- Mais t'as quand même cru bon de me suivre jusqu'à mon char pour me reprocher d'avoir induit Mike en erreur.
- Okay, regarde. Je pense que je suis mieux que toi parce que je fais mon bacc en essayant de rester minimalement intègre. Je considère que ça, ça a de la valeur. Es-tu content?
- Veux-tu savoir ce que je pense?

Suspension. Le bourdonnement de Côte-des-Neiges. Le vent, assez faible.

- Je trouve ça dommage qu'une fille aussi intelligente que toi ait trop peur pour faire la course au stage. Je te comprends d'avoir peur. Moi aussi, je trouve ça stressant. Vraiment stressant. Mais j'ai vraiment de la misère à avoir du respect pour le monde qui chicken out. T'es là, à défendre des grandes causes, à voir le droit comme une façon de changer le monde, pis à croire à la justice, mais si t'as même pas les couilles de te battre contre tes collègues de classe, penses-tu vraiment que tu vas avoir ce qu'y faut pour te battre contre l'injustice?

- Bonne nuit, elle dit en se retournant sèchement.

Puis elle s'envole cul par-dessus tête sur la glace parfaitement lisse de la Place de la Laurentienne, et vient se fracasser le dos au sol.

- T'es sûre que tu veux pas un lift? Y'est tard.

- Bonne nuit, elle répète en se levant comme une vieille souffrant d'ostéoporose.

- Je vais résumer pour être certain qu'on se comprend correctement.

Tu veux bien croire à l'égalité des chances, mais les usagers de la clinique juridique Villeray semblent déterminés à tout déployer pour te démontrer que certaines personnes auront jamais les moyens pour s'en sortir. C'est à croire qu'ils aiment la misère.

- On a mis fin à votre bail en juillet dernier.
- Oui.

C'était vrai, ce que Cousin Fred avait dit sur le travail en clinique juridique et les odeurs corporelles. Cette femme est rance. Âcre. Elle sent le yogourt suri, la terre fraîche, et quelque chose qui râpe dans le fond des sinus, comme de l'urine desséchée.

- Vous aviez jamais payé votre loyer en retard.
- J'ai toujours été une bonne payeuse.

Presque soixante-dix ans, que tu lui donnerais. Elle est dans la cinquantaine, en réalité. Longs cheveux blancs et gris. Le blanc tire vers le jaune. Ses dents sont atroces, jaunes, presque orangées. Un duvet blanc recouvre son visage. Elle est rachitique, la peau sur les os, et la peau ne tient d'ailleurs pas très bien.

- Et quelle raison est-ce que le propriétaire a invoquée pour vous expulser?
- Pardon?

Ajuster ton vocabulaire. Parler plus fort, aussi.

- Pourquoi est-ce que votre propriétaire vous a demandé de partir?
- Y'a dit que c'tait pour des raisons de sécurité.

Sa voix est râpeuse, te pétrifie presque autant que le crissement des ongles sur un tableau noir. Trop de clopes sur la durée de toute une vie.

- Mais je suis pas dangereuse, moi, monsieur!

Ses yeux se mouillent déjà. Évidemment qu'elle ment : mettre dehors un locataire qui a pas de retard de paiement, au Québec, c'est un tour de force. T'as entendu des histoires de propriétaires qui arrivaient pas à mettre dehors des locataires réputés pour avoir étendu de la merde sur leurs murs.

- C'est tout ce qu'il a dit?
- Oui.
- Vous avez des avis écrits?

Elle te tend une lettre chiffonnée. Ça provient de l'administrateur d'une société de gestion d'HLM. En substance, ça dit que l'utilisation du logement par Madame a soulevé des inquiétudes à l'égard de la sécurité du bloc. Rien ne parle d'une éviction, cependant.

- Effectivement, tu dis, c'est assez vague… Mais je vois rien qui dit que vous devez partir.
- Ah mais ça c'était au début. Après ça ils ont commencé à me harceler.

Elle a lâché un gros postillon, en disant ça. Il s'est déposé sur le bureau, devant toi, et sèche tranquillement sous tes yeux. Tu tasses tes dossiers pour t'assurer de pas les imbiber de bave de vieille. Elle sort une enveloppe, plus épaisse, te la tend.

C'est un deuxième avis, livré par huissier celui-là, sommant Madame de procéder à un nettoyage de son logement, sans quoi elle devra être évincée. On lui demande de libérer les fenêtres, de libérer l'accès aux sorties de secours, et de nettoyer les litières, car les voisins se plaignent de l'odeur.

C'est ça, son odeur : de la pisse de chat.

- Ils veulent m'enlever mes chats, elle chigne. C'est tout ce que j'ai, dans' vie, moi.
- Vous avez combien de chats?
- J'en avais huit, mais Marcel est décédé la semaine dernière. J'avais pas de cash pour aller chez le vétérinaire, moi, pis c'est toutes des crosseurs anyway.
- Oui. Bon. Pis quand on parle des sorties de secours bloquées, c'est… c'est quoi au juste? Je comprends pas.

- J'ai pas ben ben d'espace de rangement, vous comprenez, pis je suis pas ben en moyens, moi, ça fait que j'empile mes affaires chez nous un peu –
- Des affaires? Quelles affaires?
- Ben écoutez, moi ça fait quinze ans que je suis là faque y a ben des affaires, y a ma collection de bibelots, pis quand je trouve du tissu gratuit ou pas cher je le garde parce que ça peut toujours servir hein, je me fais mes vêtements moi-même.

Ses guenilles, avais-tu pensé justement, sont atrocement laides. On n'est pas loin de la poche de jute.

- Pis quand y a des spéciaux à la pharmacie évidemment j'achète toujours le maximum que je peux, c'est des provisions hein, ça peut toujours servir hein, pis pareil dans les ventes de garage, ou quand je trouve des affaires qui peuvent servir dans la rue, parce que vous comprenez moi je suis pauvre, j'ai pas d'argent, faque faut faire avec ce que j'ai, faque quand on trouve des affaires, on les garde vous comprenez hein, c'est la seule façon de s'en sortir.

La lettre est assortie de photos de l'appartement. C'est pire qu'un épisode de *Hoarders* : pas un seul mur est visible. Les pièces semblent reliées entre elles par des corridors serpentant entre des montagnes de boîtes, du plancher au plafond. Des piles de vêtements, aussi. Des plans rapprochés de bouffe moisie, de litières débordant de merde de chat, de moisissure qui a pris dans les murs. Un bain encrassé, presque noir.

- Écoutez, je travaille pas pour la Régie du logement, madame, mais…

Son regard implorant.

- … si votre propriétaire pense qu'y a des risques de sécurité associés à votre façon d'habiter votre appartement, ses inquiétudes sont peut-être fondées. Je regarde ça, pis suffirait qu'y ait un mégot de cigarette mal éteint pour que le feu prenne là-dedans, pis ça serait pas beau.
- Vous pensez que ça serait mieux si le feu pognait dans un autre appart?

Ce serait mieux si le feu pognait dans tout le bloc, madame. Avec vous et tous vos voisins gueux dedans.

- Faque vous me dites quoi, là? elle chigne.
- Je fais juste évaluer, moi. Je peux transférer votre dossier à un de nos avocats, on peut essayer d'aller devant la Régie, madame… Mais si vous voulez que je sois honnête avec vous, je pense que vous avez pas beaucoup de recours. Y'aurait fallu montrer un minimum de bonne foi, peut-être essayer de nettoyer un peu, chez vous.
- M'as t'en faire, moi, de la bonne foi!

Elle éclate en sanglots. Elle enfouit son visage dans ses mains. Tu masses tes tempes : une migraine a commencé à te cogner dessus, pendant l'entretien. Tu soupires, en regardant tes mains. Elle finit par se lever. Elle morve sur sa manche. Elle sort, en continuant de pleurer bruyamment (pour le spectacle, probablement). Quelques regards curieux, dans la salle d'attente derrière.

Tu pourrais tuer, en ce moment. Mais faut se rappeler que c'est temporaire. T'es là que pour garnir ton CV.

Dire que faire du communautaire, ou du criminel, c'est se taper de la connerie comme ça à longueur de semaine. Des gens mal foutus, qui essaient de se sauver le cul pour des histoires qui relèvent surtout de la stupidité humaine. Non, vraiment, faudra que tu entres dans un grand cabinet, sinon tu vas devenir psychopathe. Tu hais beaucoup trop l'espèce humaine pour être capable de lui venir en aide.

Mais puisqu'il le faut, sois altruiste, en attendant de devenir un monstre.

- L'école, ça va?

Maman est de garde, ce soir; vous avez commandé de la pizza, Papa et toi, écrasés sur le sofa. Les Canadiens perdent, 3-1. Les gars jouent comme des culs.

Ça te fait tiquer, quand ton père essaie de faire la conversation, mais qu'il est trop paresseux pour apporter de l'eau au moulin. Ça pue la responsabilité parentale.

- Super bien, tu marmonnes sans lâcher la télé des yeux.
- T'as su, pour Fred?

Il remplit ton verre de rouge, te donne la goutte du mariage.

- Fred? tu demandes.

Tu réalises que ça fait presque deux mois que tu lui as pas parlé, à Cousin Fred. T'as juste remarqué qu'il était plus sur Facebook : les gens font ça, souvent, en faisant le Barreau, pour fuir les distractions.

- Ouais. Y'est parti pour l'Asie, la semaine passée. La Thaïlande, je pense?

- Quoi?

- Je pensais que tu savais. Daniel me disait ça.

- Ben voyons, ça se peut pas. En plein Barreau, de même?

Les Sénateurs en rentrent une autre : 4-1.

- Y'en avait plein le cul, que Daniel a dit. Y'a lâché le Barreau. Quitté sa job à son cabinet, là, chez Alberto, là, euh –

- Alberti Johnson. Pour vrai?

- Vraiment plein le cul, que Daniel a dit. Vraiment plein le cul. Un burn-out, comme.

- Y serait pas le premier.

- Ouais, le monde qui rentrent là pis qui ont pas ton intelligence, ça doit pas être facile pour eux autres, j'imagine.

Un sourire se dessine sur ton visage, malgré toi. Cette façon que Papa et Maman ont toujours eue d'être convaincus de ton génie, c'est touchant.

- Ouais. C'est pas fait pour tout le monde, tu dis.

Faudra te trouver un autre contact, chez Alberti : tant pis.

Cette sensation toujours un peu étrange, mais pas désagréable, de te savoir trop soûl pour l'heure qu'il est, le lieu qu'il est : le quatre à sept à neuf franchement pas raté de Barrington s'efface de manière diffuse derrière toi alors que tu refermes la porte de leurs bureaux et que tu te diriges vers l'ascenseur. La lumière des tubes fluorescents te brûle la rétine : Barrington avaient engagé un concepteur d'éclairage de théâtre pour leur quatre à sept, c'était plus tamisé, et plus joli.

Tu tangues, en attendant l'ascenseur; t'as vraiment fini par prendre plaisir aux quatre à sept, tu calcules plus telle-ment ta consommation d'alcool et tu fais pas du tout un fou de toi pour autant : t'es capable de parler aux gens, tu passes pas la soirée à regarder autour de toi, apeuré à l'idée d'avoir l'air socially awkward, bête, dur d'approche. Tu entends arriver ton ascenseur avec le cillement doux qu'on entend souvent dans les films de science-fiction, quand un sas, ou une portière de vaisseau spatial, ou de voiture volante, s'ouvre. Visiter la Tour de la Bourse donne l'impression de loger dans un hôtel de luxe.

Le miroir qui orne le fond de l'ascenseur t'accueille en t'annonçant que ton suit a tenu le coup, ce soir : cra-vate en place, pas un morceau de chemise humecté par ta sueur, la ceinture est bien centrée, les pantalons pas trop froissés. Une autre victoire.

Tu t'accotes contre le miroir, fais défiler les actualités de ton téléphone, bâilles. Il faudra réviser, en rentrant, malgré le vin, puis se lever tôt. Tu crois que c'est raisonnable, un lever à six heures; t'as un cours à huit heures trente, ça te laisse le temps de faire embarquer le Modafinil pendant le déjeuner, de réviser une bonne heure et demie.

Un pied chaussé d'un soulier à talon haut noir vient bloquer les portes de l'ascenseur juste comme elles se refermaient.

Les portes font le chemin inverse et s'ouvrent sur la petite première avec qui t'es rentré à l'initiation.

- Bonsoir, elle dit.

Elle vient s'accoter juste à côté de toi. Plus près qu'une inconnue, plus loin que tu le voudrais. Juste assez pour effleurer ta bulle.

Son souffle. Son odeur, florale. *Mineure*, repenses-tu. Tu bandes. Panique. Désir. La fuir. T'enfouir en elle.

- Tu perds pas de temps, tu dis.
- Pour?
- Je me contentais des quatre à sept thématiques, en première. J'allais pas jusque chez les cabinets.
- Peut-être que t'aurais dû, elle dit.

Les portes de l'ascenseur, dorées et parfaitement propres, comme des miroirs. Tu peux pas t'empêcher de sourire à son reflet.

- Bonne fête en retard, tu dis.
- C'était y a deux mois.
- C'est ça que je dis.
- Tu sais pas ma date de fête.
- C'est en septembre, ça je le sais. Pis je sais que t'as eu dix-huit.

T'as réussi à la faire sourire. Ses grands yeux noirs se brident légèrement.

- J'attends toujours mon assignation à comparaître, tu dis.
- Je travaille fort sur le dossier, elle répond.
- Je t'ai pas vue, en haut.
- J'ai été discrète.

Vous ne vous êtes toujours pas regardés en face. Vos regards ne se croisent que dans le miroir, devant. Tes mains sont agrippées au rail, derrière. Montée de sang vers la tête. Tu te sens *poussé* vers cette petite première, plus encore qu'attiré. *Propulsé* vers elle. Mais te retenir. Faire preuve de contenance.

- C'est toi qui m'as appris les vertus du silence, elle ajoute.
- Je suis content de t'avoir été utile.

Les portes s'ouvrent sur le plancher impeccable et complètement désert du lobby.

- J'imagine que t'as des choses vraiment importantes qui t'attendent, tu dis.

Elle fait oui de la tête en sortant de l'ascenseur. Elle marche devant toi : ses *fesses*. Les mordre. Les frapper. Les baiser. Tu continues :

- Des choses de petite première.
- Oui.
- Tu vas sûrement aller dans des endroits vraiment cool avec du monde vraiment cool. Right?
- Oui.
- Prendre des bières avec tes amis de ta promo. Parler de droit. Parler de cul.

Les portes tournantes vous expulsent sur le square Victoria, inhabité sauf pour deux hobos.

- J'imagine que t'as déjà un lift, aussi, t'ajoutes.

Tu déverrouilles la Wrangler. Elle sort ses clés, fait clignoter une MINI Cooper juste derrière ta voiture. Tu dis :

- Tu me détestes, hein?

Elle descend l'escalier menant au trottoir en répondant :

- Je trouve ça fascinant de te voir aller.

Vous traversez la rue et vous arrêtez exactement entre vos voitures.

- Pourquoi? tu demandes.

- J'arrive pas à comprendre si t'es vraiment vraiment profond, ou vraiment vraiment superficiel, comme gars.

Quelque chose brûle, dans ta gorge. Éluder.

- Embrasse-moi, tu dis.

Elle reste là.

- Je te déteste pas, elle dit. Pourquoi tu penses que je te déteste?

- Probablement parce que je me déteste moi-même.

Elle s'approche de toi. Elle est toute petite, même en talons. Elle dépose deux baisers très chastes sur tes joues.

- Bonne nuit, elle murmure.

T'avais pas ressenti le froid de novembre, avant cet instant précis.

Skarsgard Morgan ont voulu innover dans le domaine du recrutement en s'éloignant du modèle quatre à sept et des dîners-conférences. Pour *rencontrer les candidats dans un contexte décontracté et de franche camaraderie*, disait l'annonce, ils ont proposé une demi-journée de paintball dans un entrepôt de l'est.

Le paintball est un sport éminemment white trash, aussi coûteux en matériel qu'idiot, pratiqué par des ouvriers et des cols bleus trop pissous pour aller faire l'armée pour vrai et qui ont voulu transposer le plaisir qu'ils éprouvent à jouer à *Call of Duty* dans la vie réelle, sans penser que la guerre demande de se lever de son cul et de courir; généralement, ces gars-là perdent un bon trente livres et hypothèquent leur maison pour se payer de l'équipement de protection, une gamme d'armes variées (fusil à pompe, pistolet, sniper), et des munitions.

C'est complètement vulgaire. Tu adores ça.

La seule fille à s'être inscrite est la provinciale sportive, qui looke tout à fait dans son élément avec la chienne et le full-face. Un des associés l'a remarquée, d'ailleurs, et a fait des blagues comme quoi il trouve ça très sexy, une fille avec un gun.

Vous êtes une douzaine, sinon, à attendre dans le hall, et à jaser avec cette détente feinte toute caractéristique des quatre à sept, un peu étrange, sortie de son contexte, et replacée dans ce haut lieu de la stupidité humaine. L'employée du centre, qui doit pas avoir plus de dix-sept ans, vous distribue vos armes, recharge la bonbonne de $CO_2$, qui sert à propulser vos balles.

Le fif péquiste a jamais tenu un gun de toute sa vie, il manipule ça comme si c'était un Stradivarius. La petite employée lui prend les mains, lui montre comment avoir une bonne poigne.

T'as jamais tenu de gun non plus mais t'as réussi à bien feindre.

Tu t'imagines, un instant, que c'est une vraie arme que tu tiens. Tu t'imagines la lever vers ta tempe, appuyer sur la détente devant tout le monde. Tacher les murs de l'entrepôt avec ton sang.

Ça te tente plus, à proprement parler, mais après avoir cherché dans chaque petite machine du quotidien un mécanisme qui t'aiderait à t'achever, c'est devenu un réflexe, même si le désir de le faire est parti. On garde ces empreintes-là.

Vous commencez avec un deathmatch assez simple, en deux équipes. Étudiants contre avocats : vous êtes moitié-moitié. Il y a pas eu beaucoup d'inscriptions : c'est conservateur, le milieu du droit. Les prétendants mettent tellement d'énergie à devenir à l'aise dans un contexte de quatre à sept, ils vont certainement pas se mettre en danger et risquer de faire des fous d'eux dans un événement où les impondérables sont légion, où il y aurait mille et une façons d'avoir l'air complètement con, donc non employable.

On voit assez rapidement qui est en forme et qui l'est pas. Le terrain est à peu près de la largeur d'un terrain de soccer, et à moitié aussi long : soit tu conserves tes énergies, soit tu pompes l'huile. À part le Carabin, y a probablement personne, chez les étudiants, de plus en forme que toi, que tu saches.

Il y a deux gars assez gras, chez les avocats; ils essaient de se rendre utiles en restant loin derrière et en tentant de faire du tir d'élite; il faut de l'équipement de pointe, pour ça, apparemment, pas les fusils de base qu'on vous a donnés (et quelle connerie ce serait que de payer un extra pour de meilleurs guns).

Un des avocats de Skarsgard Morgan, plus grand, clairement un corps de coureur de fond, ou peut-être un cycliste, réussit à passer de couverture en couverture assez habilement, en éliminant chaque fois un étudiant au passage : il est impressionnant, tu l'aimes déjà.

Il reste l'Italien du West Island et le Carabin quand il t'élimine, et les avocats gagnent, avec encore quatre hommes debout.

- Vous vous entraînez à ça chaque semaine? tu demandes, à la blague, en sortant de l'aire de jeu, en enlevant ton casque.
- Talent naturel, dit l'avocat qui t'a gunné, amusé.

Vous commencez une deuxième partie, cette fois-ci en mélangeant les équipes. T'as le grand gars en forme de Skarsgard de ton bord; vous réussissez à avancer ensemble, jusque derrière la ligne ennemie, et à attaquer par le flanc presque la moitié de l'autre équipe en balayant le terrain de gauche à droite. À ton propre étonnement, tu finis par trouver ça franchement amusant, et tu trouves que ça fait du bien, effectivement, de faire autre chose que boire du vin avec les recruteurs.

Pour la troisième partie, l'animatrice propose un free-for-all. Chacun a une minute pour se terrer où il veut, après laquelle tous pourront se tirer dessus. Un seul joueur sera gagnant : le dernier à survivre.

Tu laisses les autres aller se placer pour essayer d'avoir une vue d'ensemble de la disposition des joueurs. En tentant de garder un souffle presque normal, tu trouves un tunnel dans une tranchée dans le coin nord-ouest du terrain. Ton rythme cardiaque est encore lent, mais tu sens que ta pression sanguine a augmenté.

C'est nettement plus angoissant quand on est chacun pour soi.

Le signal de début de partie résonne dans l'immense terrain. Le champ de bataille demeure complètement silencieux. Puis tu entends les premiers bruits sourds dans le sable presque boueux, visqueux.

Un coup de feu. Un cri de surprise. Des pas sur du métal : quelqu'un est monté sur la plateforme au centre du terrain. Tu sors de ton tunnel pour l'observer. Il est exposé, mais il te voit lui aussi : c'est le fif péquiste. Tu l'atteins à la jambe. Il se prend la cuisse, surpris de la douleur. Une énorme tache bleu pâle a sali sa chienne, à l'endroit de l'impact. Il quitte le terrain, les bras levés, en riant.

Ce que tu crois être une fille de Skarsgard est en train de longer le mur ouest à la course, complètement découverte. Tu tires quatre fois sans être certain de l'avoir atteinte. Elle continue sa course; elle sera très près de toi bientôt, et tu es très mal placé, dans la tranchée. Tu grimpes et tu vas t'appuyer contre des balles de foin, tout près, en attendant la fille de Skarsgard, qui devrait tourner le coin d'une seconde à l'autre.

Une volée de balles retentit du côté opposé de la salle, probablement derrière l'autobus. Tu entends des pas derrière toi, assez loin. Tu veux te retourner, mais il faut pas : tu vas rater la fille de Skarsgard. Mais elle tarde. Tu comptes un bateau. Deux bateaux. Tu te retournes : c'est un des gros avocats. Tu réussis à lui envoyer une balle dans le ventre, tu te retournes aussitôt vers le coin, et tu réussis à faire gicler du jaune sur la hanche de la fille de Skarsgard.

T'es à bout de souffle, déjà. Ça fait pas une minute que la partie est commencée. Enfin, tu crois. T'as aucune idée du temps qui s'est écoulé. L'adrénaline a complètement déformé le temps, pour toi. Tu vois deux autres personnes, en plus de celles que tu viens d'éliminer, prendre le corridor derrière le filet pour quitter le terrain.

Quatre éliminés avec certitude, plus le fif péquiste au début, vous êtes vingt : il en reste quatorze à descendre, maximum. Ça fait beaucoup de monde, quand même.

Évidemment, cette dynamique implique nécessairement un jeu de chat et de souris. On peut étirer la partie à l'infini en restant caché et en bougeant pas, mais ça finirait par faire chier. Par contre, on augmente les risques de se mettre en danger en se déplaçant et en cherchant activement ses ennemis. Tu décides de te rendre au coin où t'as éliminé la fille de Skarsgard et d'avancer de couverture en couverture, pour t'assurer que t'as absolument personne derrière toi.

Ça sert à rien de gunner à gauche à droite comme un imbécile, comme quelqu'un semble être en train de le faire, côté sud. Y aller stratégiquement.

Les gens de Skarsgard Morgan, aujourd'hui, apprennent tout et apprennent rien sur vous. Votre forme physique, peut-être : c'est vrai que c'est beaucoup. Toi, à choisir entre un gars en forme et un gros tas, voire un gars un peu mou, pour un poste, c'est clair que c'est le gars en forme qui gagne. Tout le monde fait ça, qu'il le sache ou pas.

C'est pas un jeu comme celui-là qui démontre tellement la capacité de quelqu'un à travailler en équipe. Sa
hardiesse, peut-être. Sa capacité de tenir la pression. Ou
de rire de son manque de talent. Le fif péquiste, sur ce
point, gagne, en fait : pourri, mais de bonne humeur, il
fait bonne figure, tu penses.

L'Italien du West Island traverse le milieu du terrain
en courant, réussit à éviter une pluie de balles, pour se
couvrir. Des couleurs éclatent sur le panneau de bois
contre lequel il vient s'appuyer. Son dos se gonfle et se
dégonfle; il commence manifestement à manquer de
jus. Il est à une bonne distance de toi, assez pour que tu
puisses pas faire confiance à la précision de ta carabine.
Tu balaies du regard ta gauche, ta droite : aucune garan-
tie, car le terrain est rempli d'endroits où se cacher, mais
tu avances, accroupi, jusqu'à un bidon de métal, puis à
la carcasse d'une voiture. Une balle siffle au-dessus du
capot, puis à travers l'habitacle.

C'est l'Italien du West Island qui t'a repéré. T'es clairement trop loin encore pour l'atteindre, mais t'as plus
trop le choix. Tu appuies tes coudes sur le capot de la
voiture et tu tires au moins une dizaine de balles qui
éclatent sur le sol, sur le panneau de bois, avant de l'atteindre sur le casque et sur son cou. Rouge et bleu.

Un *fuck!* bien senti vient résonner sur le plafond de
tôle de l'entrepôt. Quelqu'un de plus sort par le corridor
de sécurité.

T'aperçois la queue de cheval blonde de la provinciale sportive, en train de grimper dans le mirador. T'arrives pas à la tirer alors qu'elle est dans l'échelle, ce qui fait que t'es assez foutu : elle est protégée de tous les côtés sauf un, et a un excellent point de vue, en plus.

Une autre fusillade éclate, près de l'entrée. Trois morts. La provinciale sportive réussit à descendre deux gars depuis son mirador. Deux gars de Skarsgard s'entretuent.

Tu sais plus très bien où t'en aller. Tu sais que la provinciale sportive t'a à l'œil; t'as à peu près aucune chance de bouger sans qu'elle te tire, sauf si elle est distraite. Il y a sûrement beaucoup d'autres joueurs encore mais le terrain est presque mort, sauf pour le grésillement des néons au plafond, et le bruit de la ventilation. Ta propre respiration est amplifiée par ton casque. Tes mains sont complètement moites.

Tu vois le Carabin ramper jusque dans une cabane, regarder autour. T'essaies de l'atteindre, mais tu rates. Il s'avance vers toi de manière assez habile, considérant sa taille, passe près de se faire ramasser trois fois par la provinciale sportive, arrête sa course vers toi pour chercher un endroit où se protéger d'elle. Il est tout près de toi, à pas plus de quatre mètres, protégé par un tas de pneus. Tu l'entends chercher son souffle, déglutir, cracher. Il sort son arme de sa cachette, la pointe dans ta direction, et crie :

- Envoye, sors de ta cachette, hostie de tapette!

Il a pas l'occasion de te l'ordonner deux fois. Le coureur de fond de Skarsgard, surgi derrière lui, le tire dans le dos. Il lève son casque, regarde le gros Carabin écrasé par terre et dit :

- J'aime vraiment pas ça quand le monde utilise ce mot-là.
- Quoi? le Carabin grogne, haletant.
- Tapette. Je trouve ça vraiment déplacé d'utiliser ça pour insulter quelqu'un.

Silence de mort dans l'immensité de l'entrepôt. Le Carabin semble s'enfoncer lentement dans la boue du terrain. L'avocat éclate de rire, l'air de dire que c'est pas grave, que c'est le genre de connerie que tout le monde dit par erreur. Seulement, le lieu est pas choisi pour faire des erreurs. D'autant plus que, te rappelles-tu, le fif péquiste avait dit savoir de source sûre que cet avocat était gay, justement.

Une erreur de débutant : faut mesurer ses paroles, toujours. On a le droit de penser au pire, tant qu'on le dit pas. T'es le premier à penser au mot *fif*, quand il est question du fif péquiste. Ou à *nègre*, aussi, quand il est question du Carabin. Mais tout le génie tient dans le fait de le penser sans le dire.

Et c'est comme si on entendait le cœur et l'orgueil du Carabin se briser et résonner avec violence sur les murs et les plafonds de métal, et lui revenir en écho, en criant *tu viens de brûler tes chances, mon gars.*

Ton souffle ralentit. Tu arrêtes de transpirer. Sous ton casque, tu souris.

Vous vous êtes croisés sur Édouard-Montpetit, évidemment, alors que tu te rendais à l'école. T'es devenu triste, comme chaque fois que tu te rappelles qu'elle existe. Ça faisait quatre mois, au moins, que vous vous étiez pas parlé, que t'avais vu passer son nom nulle part; tu l'avais bloquée de Facebook, d'Instagram. Rien contre elle : plus facile de passer à autre chose, comme ça.

Plus facile de vivre, une fois les œillères fermées.

Il est dix-sept heures et il fait déjà noir, de la neige tombe par gros flocons. C'est la première neige de décembre. Quelque part en ville, à plusieurs endroits en ville, sûrement, des jeunes couples se promènent et font le plein de souvenirs romantiques de leur premier temps des Fêtes ensemble, souvenirs auxquels ils auront souvent recours, à l'avenir, pour se convaincre de pas se laisser au plus vite.

Aurélie porte son Canada Goose de toujours (rien pour l'aider à avoir l'air d'une Québécoise, c'est comme si elle entretenait le mythe volontairement), son énorme sac rempli de livres. Elle semblait pressée de se rendre quelque part, ou de fuir le froid, mais s'est immobilisée en te voyant.

- Beau suit, elle dit.

T'as mis le Tiger of Sweden noir, ce soir, avec ton trench en laine grise par-dessus, ouvert.

- Merci.

C'est correct pour passer de ta voiture à l'école, mais c'est pas un accoutrement proprement hivernal. Tu vas geler, si t'entames une conversation.

- Je m'en allais à un quatre à sept, tu dis. Droit pénal.

Elle a acquiescé. C'était une façon pour toi de clore, mais elle est restée sur place. T'as regardé ta Tissot, par réflexe : elle était toujours coincée à onze heures cinquante-neuf.

- C'est bon que tu sois encore à l'école, elle dit.

C'est plus tellement de ses affaires.

- Oui, tu dis.
- Tu… vas bien?

La question est chargée. Elle dit *tu vas bien?*, mais au fond, elle demande : *es-tu encore sur le Wellbutrin, as-tu dégringolé jusqu'à devoir te farcir du Seroquel, vas-tu grossir tout seul chez vous alors que t'es braindead et voir la vie passer devant toi? T'as continué l'école, est-ce que tu vas encore t'enfermer dans la petite toilette pour handicapés au bout du corridor pour pleurer, crier des fois, est-ce que la mention du nombre d'heures passées à la bibliothèque*

*par un de tes collègues te plonge encore dans un vortex dans lequel
tu te fais bardasser de tous bords tous côtés, est-ce que tu en fais une
fixation, en tentant de cumuler les minutes, de refaire tes lectures
du début à la fin pour être sûr d'en avoir fait plus que les autres,
de réviser, de vérifier, avec tous les trucs mnémotechniques possibles,
sans que ça soit tellement utile parce que la seule chose qui t'occupe
l'esprit, c'est l'étude même, et non pas le sujet de l'étude? Tu fais toujours la course au stage, es-tu certain que c'est ce que tu veux, es-tu
certain que t'es assez fort, mentalement, pour survivre à ça, es-tu sûr
que t'es capable de pas craquer sous la pression alors que seulement
le bacc c'était déjà assez pour te rendre complètement malade? Est-ce
qu'il y a une fille qui se soucie de tout ça à ma place, trouvera-t-elle
ton exit bag dans le garde-robe de la salle de lavage, est-ce qu'elle sera
rongée d'inquiétude pour toi, est-ce qu'elle sera soulagée quand tu la
laisseras, parce qu'au fond elle se rendra compte que c'était beaucoup
trop à porter pour elle?*

Mais elle dit :

- Tu… vas bien?

Tu voudrais lui dire *je vais pas me tuer tout de suite, Aurélie,
mais tu sais le goût de sa propre mort c'est pas quelque chose qui
s'en va tout à fait, c'est comme les animaux sauvages qui ont goûté
à la chair humaine : on n'arrive jamais à se défaire complètement
de sa soif de sang.*

Mais tu dis :

- Ça va bien, oui.
- Tu dois être dans les examens.
- Oui.

- T'as continué la course ?
- Oui.
- C'est une bonne affaire.

Par politesse, faudrait que tu la relances, mais tu sais pas trop. Elle va te dire des généralités sur médecine, ses parents, peut-être, sur le volleyball. Elle est toujours immobile, n'a pas détourné le regard, bougé sur place comme on le fait pour indiquer aux connaissances que le temps qu'on leur a alloué est terminé, ou qu'on a peur de les ennuyer, les deux parfois. Elle voudrait probablement que tu dises *écoute je vais laisser tomber mon quatre à sept, on va aller prendre un verre veux-tu?*, vous iriez au pub irlandais sur Côte-des-Neiges, tu semblerais détendu pour la première fois depuis des siècles, vous rentreriez faire l'amour après et peut-être que ça repartirait comme avant.

Tu voudrais lui dire *l'amour est pas une ressource renouvelable, Aurélie, j'ai foutu le feu à une plateforme de forage, j'ai brûlé tout ce qu'on aurait pu extraire, et j'ai dansé autour du feu de joie sans même me rendre compte que ça m'écorchait la peau, pendant que d'autres investissaient dans ce qui se tarit pas.* Tu voudrais lui dire *je pense pas que ça arrivera de nouveau, ni avec toi ni avec une autre, je suis pas de ceux qui ont besoin de monter six fois l'Everest, une fois c'est assez, j'ai d'autres chats à fouetter maintenant.* Tu voudrais lui dire *oublie l'amour, Aurélie, il y a des choses qui coûtent moins et qui rapportent plus, dans la vie.*

Tu ajouterais *t'es mille fois moins conne que toutes les autres filles, Aurélie, je te dis tout ça parce que je sais que toi, tu pourrais comprendre.*

Mais tu lui dis :

- Je vais être en retard.
- Oui.

Cette suspension, quand on sait plus quel comporte-
ment adopter devant quelqu'un qu'on a vu jouir, vomir,
péter, pleurer. La bise. Les coins des lèvres.

- Joyeux Noël.

Vous l'avez dit en chœur.

- C'est quoi, ton tabarnak de problème?

L'Italien du West Island t'attendait à la sortie de la bibliothèque pour te sauter au collet. Il te traîne plus loin dans le corridor, t'enfonce dans une porte. Il est passé vingt heures; l'école est presque vide, sauf pour la bibliothèque. T'as les mains vides : tu sortais seulement pisser, peut-être prendre une bouffée d'air froid, pour te garder réveillé.

Deux boutons de ta chemise (Banana Republic, cet automne, 190$) ont lâché. Tu gardes une prise bien serrée sur les poignets de l'Italien, sans essayer de te défaire : c'est pas encore nécessaire. Ses doigts sont enserrés autour de ta gorge, mais il ne force pas. Il est plus fort que toi, alors t'es mieux d'économiser tes énergies.

- Qu'est-ce tu veux?

Ta voix est chevrotante. T'essaies de paraître aussi peu perturbé que possible. Tu t'es pas battu souvent, dans ta vie.

- Fais pas ton estie de fendant, man!

- Je fais rien, en ce moment. Je t'ai posé une question.

Il resserre sa prise autour de ta gorge, t'écrase contre la porte, puis te relâche. Tu râles, puis craches par terre. T'essaies de replacer ta chemise, tu jettes un regard au sol, voir si tes boutons seraient pas loin.

- Mes notes, il dit.
- Tes notes?
- Mon fucking cahier de notes. Pour Droit du travail.
- Oui?…
- Redonne-le-moi.
- Qu'est-ce qui te fait penser que je l'ai?

Il est rouge, gonflé à bloc. Une pointe de désespoir, dans ses yeux.

- Fuck you, man. Je sais que c'est toi. J'ai laissé mon cahier s'a table de la bibli, je suis parti pisser, je suis revenu pis y'était pus là.
- C'est ça, ton élément de preuve?
- Fuck you.
- Quessé que tu voudrais que je crisse avec tes notes?
- Je sais que t'attends juste que je me plante à l'examen.
- Évidemment que j'attends ça. J'ai très hâte que tu te plantes.

Il serre les dents, furieux, et souffle :

- Ça adonnerait ben en crisse que je perde mon cahier de notes, non?
- Ouais.

- Ça adonnerait ben en crisse pour toi.
- Ouais, effectivement.
- Faque c'est raisonnable de penser que t'aurais pu me voler mes notes.
- Ouais, c'est vrai.
- Faque redonne-moi mes fucking notes.

Il a l'air d'un bambin qui fait une crise, maintenant. Tu demandes :

- Pourquoi ça serait moi plus qu'un autre?
- Parce que t'étais là.
- On était genre dix.
- Parce que si y a quelqu'un d'assez malade mental pour faire ça, ici, c'est toi.
- Tu te bases sur quoi pour dire ça?
- Tu vendrais ta mère pour une entrevue chez Alberti.
- Pas toi?

Sa respiration s'est calmée. Il regarde autour de lui.

- Je les ai pas, tes crisse de notes, Mike. Je suis pas assez con pour te voler ça. Je vais avoir ben plus de fun à te voir te planter à l'examen en suivant les règles. C'est pas ça qu'on apprend, de toute façon, en droit? Planter le monde en suivant les règles?

Il prend un pas de recul, comme confus.

- T'as peur des autres parce que t'as peur que le monde soit aussi rat que toi, man. Mais on n'est pas toutes malades mentaux comme toi. Par contre, je suis vraiment flatté que tu me considères assez menaçant pour que tu penses que j'aie pu te voler tes notes.

Tu t'éloignes vers la bibliothèque. Tu t'arrêtes pour ramasser tes deux boutons, qui traînent au milieu du corridor.

Il reste sur place, complètement désemparé. Tu dis en souriant, avant de tourner le coin :

- Je peux te photocopier mes notes, si tu veux.
- Fuck you.

Il fait tempête, dehors. La grande fenêtre du bureau de Papa t'illumine de derrière, comme un immense écran blanc rétroéclairé. Ton MacBook Air posé sur tes genoux. T'as pas osé troubler l'ordre du bureau en noyer. Ton père a fait le ménage, c'est-à-dire qu'il n'y a rien d'autre, sur le bureau, qu'un coupe-papier, une lampe de lecture et un porte-crayons.

Le faible ronronnement du MacBook se réverbère sur les panneaux de placage de bois du bureau. Tes mains glissent sur les rebords, soulèvent le métal chaud.

Tu navigues vers le portail, en entrant les lettres avec délicatesse, presque en caressant ton clavier. Ton nom d'utilisateur, ton mot de passe. La page d'accueil. Ton relevé de notes.

Tu regardes derrière toi. Non, aucun danger imminent te guette. Le pire qui peut survenir surgira devant toi, s'il a à surgir. Tu prends une grande inspiration. Apnée.

Droit du travail : A
Droit international privé : A+
Droit international public : A+
Droit pénal II : A

Éthique du droit : A+

Stage en milieu communautaire : R

Ton GPA cumulatif, pour les sessions d'automne, d'hiver et d'automne, est de 3,63. C'est le dossier que tu soumettras aux recruteurs, pour la course au stage.

Tu refermes l'écran doucement. Tu poses tes paumes sur le MacBook presque brûlant.

C'est tout ce que tu voulais. C'est le strict minimum. Le pire est à venir.

- Maria, hostie!

- Mais je suis désolée je t'ai dit, je suis désolée!

- Où est-ce que j'ai fucking écrit que tu devais la laver, la crisse de chemise? Je l'ai accrochée là *précisément* parce que j'allais la porter, *précisément* parce que j'en avais besoin aujourd'hui! Elle était là pour que je la steam! C'est fucking important! C'est vraiment fucking important!

- Mais je pouvais pas savoir! Je pensais qu'elle traînait, je pensais que c'était sale! C'était dans la salle de lavage!

- Je suis dans' fucking marde, Maria, comprends-tu ça? Tu me mets dans' fucking marde! On parle de mon avenir, là! Mon fucking avenir!

- Voyons, ton avenir il tient pas à une toute petite chemise!

- Qu'est-ce que tu comprends pas dans « c'est vraiment fucking important »?

- Écoute mon bébé, on peut peut-être trouver une solution!

- Non! Non! Y en a pas, de fucking solution, mon quatre à sept est dans une heure, j'ai pas le temps de passer m'acheter une autre chemise, pis je vais pas porter autre chose qu'une fucking chemise blanche avec mon complet noir!

- Mais la chemise grise, elle te ferait super bien!

- Pas avec mon veston noir par-dessus, voyons! C'est cette chemise-là que ça me prend! Cette chemise-là!

T'as la face qui pourrait exploser, les veines des tempes qui cognent. La sueur perle sur ton torse nu. C'est le dernier gros quatre à sept avant l'envoi des convocations en entrevue. Tu peux pas rater ton coup, et pour réussir ton coup, faut que tu sois impec, et que tu te sentes impec. Même si personne remarque que t'as pas le suit que tu voulais ce soir, toi tu le sauras, et tu sais que ça va te miner complètement. Ça t'enlèvera toute confiance. Ça t'enlèvera toute répartie. Tu seras une limace collée dans un coin de mur des bureaux de Lalime.

Maria s'est mise à pleurer. Appuyée sur l'îlot de la salle de lavage, à regarder par terre, honteuse, elle pleure. Elle est émotive, c'est pas la première fois qu'elle te fait ça, mais tu t'y habitues pas.

- Mais je te jure mon petit je voulais pas mal faire, je voulais pas mal faire…

Putain, le malaise. Tu t'appuies contre le cadre de porte. La laveuse vibre doucement, la chemise Tiger of Sweden dont tu as besoin à cet instant précis emprisonnée à l'intérieur.

- Écoute ce qu'on va faire, mon bébé.

Tu hoches la tête. T'as pas envie d'une solution de rechange. T'aimes Maria, t'as toujours aimé Maria, depuis que t'es tout petit, mais dans les dernières années t'as malheureusement fini par comprendre tout ce qui vous sépare, même si elle t'a presque autant élevé que tes parents, plus encore peut-être.

- Viens avec moi.

Elle prend ta main, comme si t'avais encore trois ans, et qu'elle t'emmenait au parc. Tu la suis, à reculons, mal à l'aise. Vous montez l'escalier jusqu'au rez-de-chaussée, puis au deuxième. Elle souffle un peu, rendue au deuxième. Ça t'irrite de t'en rendre compte, ou ça t'attriste, t'es pas trop sûr : Maria vieillit. Elle a élargi, ses cheveux noirs sont de plus en plus parsemés de gris. Son dos s'arrondit. T'aimes pas voir les gens vieillir.

Elle te traîne jusqu'à la chambre de Papa et Maman.

- Maria, non… Je vais pas emprunter une chemise à mon père, voyons. On n'a pas la même shape.

Elle t'ignore. Elle entre dans le walk-in, fait danser ses doigts rapidement sur les cintres. Une chemise blanche se matérialise entre ses mains. Tu reconnais pas l'étiquette.

- Tu mets ça maintenant.

Elle a gardé cette manière directive de te parler, comme quand t'étais tout petit, que t'étais un vrai monstre, qu'elle devait courir après toi autour de la maison, au parc, dans la rue, pour t'empêcher de casser des choses, de te faire passer dessus par une voiture, kidnapper par un pédophile.

T'enfiles la chemise à contrecœur. Une partie de toi aurait préféré qu'il y ait pas de solution, pour justifier ta colère. Mais la chemise est parfaite. La manche tombe directement au milieu de ton poignet, les épaules sont bien ajustées, la taille, cintrée : ton père est encore, a toujours été en forme, et toi t'as élargi, récemment. Tu te sens con, un peu, d'avoir gueulé sur Maria.

- Vous avez exactement la même taille, maintenant, toi et ton père.

L'accent de Maria, réconfortant, chaleureux. Sa tête juste à côté de la tienne, dans le miroir plein pied du walk-in, ses mains sur tes épaules.

- Redescends, viens mettre ton veston pour être sûr.

Le miroir de la salle de lavage te confirme que le veston tombe impeccablement bien sur la chemise, en effet. Tu regardes ta Tissot, par réflexe : onze heures cinquante-neuf, la trotteuse qui oscille encore autour de la vingt-cinquième seconde. Faut vraiment que tu la fasses réparer. Ton cellulaire, lui, t'indique qu'il faut partir maintenant. Maria dit :

- Ah oui, mon beau, j'avais une question pour toi. Je faisais le ménage du débarras, et je me demandais…

Elle ouvre la porte du débarras. Elle plonge le bras dans une boîte, en ressort avec l'exit bag.

- C'est à toi, ça?

Aucune inquiétude dans son regard, comme si elle pensait que c'est de l'équipement pour un sport qu'elle ne connaît pas, ou un outil pour un jeu sexuel qu'elle préfère faire semblant d'ignorer. Tu dis :

- Oui.

Elle le fourre dans ta main sans cérémonie.

- Ça traînait là. Je me demandais. Bon, c'est bientôt cinq heures, faut que je me dépêche de finir le ménage, moi! Je suis sûre que ça va bien se passer pour toi.

Avec la paume, elle te prend la joue droite, et dépose un baiser sur ta joue gauche.

- T'es beau comme un cœur.
- Je m'excuse.
- Ça va. Bonne chance, mon bébé.

Elle te laisse devant le miroir. Tu la regardes s'éloigner lentement derrière toi, ses pas claquer dans l'escalier. Ton complet impeccable. Ta coupe de cheveux parfaite. Ta barbe soignée. Le plastique informe de l'exit bag dans ta main droite. Tout est encore possible.

Le gars est beaucoup moins vieux que ce à quoi tu te serais attendu d'un joaillier. Pas plus de trente ans, certainement, un peu hipster. Un *nouveau classique*, peut-être : le citadin déconnecté du monde matériel qui décide de pratiquer un métier manuel, après avoir fait une maîtrise inutile en sciences sociales, suivant la pression invisible de ses parents. Il a l'air de savoir ce qu'il fait, en tous les cas.

- It was just a single gear, under the second hand. Sous la trotteuse. Je l'ai changée, la gear.

Sur le comptoir de verre vous séparant, il dépose ta Tissot, à laquelle sont synchronisées des Rolex, d'autres Tissot, des TAG Heuer, des Swatch, des Patek Philippe, en dessous. Il dépose le minuscule engrenage à côté, doré, à peine plus gros qu'une tête d'épingle.

- There was some dirt, stuck in there. Damaged a gear, but otherwise it was still working fine : pour ça que la trotteuse bougeait, même si c'tait jammé. It's all good now.

Il vient l'attacher à ton poignet, plutôt que te la redonner : affabilité d'un autre temps.

- Une œuvre d'art, ça. The ones they make now, they aren't half as good.
- C'était à mon grand-père.
- Yeah, it's from the sixties.
- Yeah. My father says it was bought here.
- Must've been sold by my grandfather, then.

Quelque chose de réconfortant, dans le fait d'entendre ça. De savoir qu'il y a cinquante ans, vos grands-pères ont eu un rapport semblable au vôtre, dans ce petit local, sur Sherbrooke Ouest.

- How much do I owe you? tu demandes.
- Quarante.

Il prend ton argent, te serre la main.

- Take good care of it.
- I will.

- Sur papier, l'usage équitable est pas mal plus restreint au Canada qu'aux États-Unis, comme vous avez pu le constater; d'ailleurs, au Canada, on qualifie notre système de fair *dealing*, versus le fair *use* des États-Unis : l'exemption à la loi canadienne sur le droit d'auteur insiste sur le fait que l'œuvre citée ou reproduite doit être contextualisée ou commentée, alors qu'aux États-Unis, c'est techniquement légal de reprendre l'entièreté, par exemple, d'une chanson, pour la parodier, ou s'en moquer, ce qui serait illégal au Canada…

Neuf heures vingt-deux sur ta Tissot. Ton Modafinil commence à kick in; ta concentration s'est resserrée et tu bois les paroles du professeur Marcoux. L'Italien du West Island est avachi sur sa chaise, à ta droite, et secoue sa jambe sans arrêt : il est encore sur le Concerta, ça lui cause souvent des tics insupportables.

- … mais dans les faits, ce qui va souvent déterminer si une réutilisation, ou une réappropriation peut se faire, c'est le capital des parties impliquées. Le plus souvent, une corporation, par exemple un label, qui décide de poursuivre un individu, va gagner, simplement parce que le défendant a simplement pas les moyens de couvrir les frais juridiques, ce qui est typique d'une société plus judiciarisée.

Ton téléphone, en mode silencieux, à côté de ton cahier, s'illumine. Numéro inconnu. Tu regardes autour de toi.

- Excuse-moi, tu murmures à l'Italien.

T'empoignes ton iPhone, tu t'éloignes rapidement vers la sortie. L'Italien force une expression relax, mais tu l'as vu froncer les sourcils, quand ton téléphone a sonné. Tu t'es excusé non pas parce que t'avais peur de le distraire en te levant, évidemment, mais pour qu'il réalise bien que tu recevais un appel. Le professeur Marcoux est distrait un instant, te suit du regard, hésite, bafouille, reprend le cours de sa pensée. Tu réponds en refermant la porte de la classe.

- Bonjour, je m'appelle Linda Schweiller, je travaille pour Dascal Mackenzie.
- Bonjour, tu dis en beurrant du sourire dans ta voix.

Lundi, neuf heures vingt-trois : ça fait deux semaines, presque, que le portail acceptant les candidatures de la course au stage a été fermé. Une trêve. T'avais presque réussi à oublier, à enfouir dans les profondeurs de ta tête que t'attendais une réponse, tout ce temps.

Vous aviez dix jours pour envoyer vos documents, mais t'as tout envoyé le premier jour, évidemment.

T'as passé les trois semaines précédant l'envoi à obséder sur ton CV et ta lettre de présentation. Un gars de ta promo à Brébeuf, maintenant étudiant en design graphique à l'UQAM et dont tu voyais passer le travail sur

Facebook, t'a créé un design sur mesure moyennant une cinquantaine de dollars. T'as obsédé sur le placement de tes expériences de travail, sur le résumé de tes responsabilités, tu t'es demandé quel effet inconscient produirait telle ou telle disposition des informations. T'as décoré ton CV de la photo sur laquelle toi et Aurélie avez figuré ensemble pour la dernière fois, prise à la soirée-bénéfice de Stop Suicide Montréal. Tu l'as recadrée autour de ton visage uniquement. Ton expression, sur la photo, t'a-t-on dit, dégage à la fois de l'accessibilité et de la confiance, une autorité virile sans être criarde, ou violente. Le deuxième choix le plus populaire, une photo de toi prise dans un quatre à sept de droit du travail, faisait moins l'unanimité à cause de ton trop grand sourire, qui illumine ton visage et bride tes yeux : tu avais l'air infiniment *gentil*, voire *candide*, des qualités qu'on recherche chez les secrétaires, pas chez les avocats.

Pour ce qui de ta lettre de présentation, t'en as écrit trois, en fait, et t'as demandé à au moins vingt personnes de choisir leur préférée, et t'as éliminé les deux autres. Ensuite t'as demandé des notes, et t'as dû la réécrire vingt fois, de bout en bout. Si bien que les mots voulaient absolument rien dire, au bout du compte, pour toi.

T'as reçu trois accusés de réception personnalisés, un d'Alberti Johnson, un de Skarsgard Morgan, un de Barrington : ils qualifient ta candidature de « formidable », « fascinante » et « unique », respectivement, mais t'essaies malgré toi de tempérer tes attentes.

- On aimerait vous convoquer à une entrevue pour un poste de stagiaire.
- Certainement.
- Avez-vous des disponibilités le 7 mars?
- Absolument.
- Neuf heures quinze, le 7 mars?
- Certainement.

Tu regardes autour de toi dans le corridor désert. Ton visage brûle. Ton souffle est coupé. Ralentir la respiration. Ne rien laisser paraître. Réintégrer le cours.

- … le jugement rendu par la Cour suprême dans l'affaire CCH Canadienne Ltée. c. Barreau du Haut-Canada a été assez majeur parce que les décisions sur les questions de droit d'auteur et plus particulièrement d'utilisation équitable sont assez rares…

L'Italien n'a pas tourné la tête vers toi. Sa jambe a arrêté de bouger. Il continue de pianoter sur son MacBook Pro (il prend ses notes exclusivement sur son laptop, depuis le vol de son cahier) en écoutant le professeur Marcoux. Quelques minutes plus tard, son téléphone vibre, résonnant sur tout son bureau : volontairement ostensible.

Il se lève, jette un regard vers toi, poker face, et sort par la porte de droite en posant son téléphone sur son oreille. Il revient en classe deux minutes plus tard, stoïque, et vient se rasseoir sans regarder dans ta direction.

Ton téléphone sonne à nouveau. Tu te lèves, sort par la porte à gauche du professeur Marcoux. Tu remarques quelques regards agacés, sur le chemin. Tu vois que l'Italien s'est relevé lui aussi, est sorti par la porte de droite.

- Joanie Larue, adjointe chez Lalime. Je vous appelle parce que nos recruteurs aimeraient avoir une entrevue avec vous. Avez-vous du temps le 7 mars?

Tu viens te rasseoir en même temps que l'Italien. La provinciale sportive se lève, elle aussi, quelques minutes plus tard, puis revient s'asseoir avec un sourire en coin.

Le manège continuera toute la semaine, dans les cours, au café, dans les corridors, tout le monde gardera son téléphone tout près, répondra, regardera son agenda, en tentant de pas laisser un sourire lui fendre le visage.

Le vendredi, vers seize heures, alors que vous êtes, comme toujours, attablés au fond de la bibliothèque de droit, l'Italien brise un silence qui dure depuis plus d'une heure.

- Vous avez eu combien de demandes d'entrevue?

La provinciale sportive est clairement agacée. Le fif péquiste est sur ses gardes. T'essaies de rester de glace. Le Carabin soupire, dit :

- Rien eu, man. Je vais être obligé de me réessayer en troisième.

Premier soldat tombé au combat. Le fait d'avoir été Carabin aura donc pas suffi.

- Neuf, la provinciale sportive dit.

Elle le dit avec humilité, en jetant un regard vers le Carabin : une certaine compassion.

- Douze, le fif péquiste dit.

Pas étonnant. Homo, plus dix, et impliqué en politique, plus dix : il est destiné à de grandes choses.

- Neuf, tu dis.
- Okay, l'Italien dit.

Un silence.

- Toi? tu demandes.
- Oh, j'ai pas envie de le dire. C'est privé.

Tuer, tuer, tuer.

- Pourquoi vous avez voulu devenir avocat?

Chacune des questions posées par chaque recruteur, à chacune de tes neuf entrevues, a l'air d'une question piège. Même les questions simples. Surtout les questions simples. Un élément d'un jeu de serpents et échelles élaboré par un comité sadique de gestion des ressources humaines. Un peu comme tes entretiens avec la psychiatre de l'université. Comme tu slalomais entre les définitions des différentes maladies mentales du DSM, tu dois choisir chacun des pas que tu poses sur le champ de mines qu'est une entrevue d'embauche.

T'as passé au moins deux heures par jour, dans les dernières semaines, à te préparer pour ce moment. Assis chez toi, à te poser des questions, et à trouver des façons intelligentes de répondre. *Pourquoi avez-vous voulu devenir avocat. Que pensez-vous pouvoir apporter à notre entreprise. Nommez le plus grand défi que vous avez dû surmonter dans votre vie. Quelles activités pratiquez-vous en dehors de vos études. Quel est votre pire défaut.*

Tu t'es donné deux, trois possibilités pour chaque question, afin de toujours avoir l'air spontané. Tu t'es créé un schéma, pour te donner des portes de sortie à toutes les réactions, les critiques possibles. De la folie. De la folie qui paiera.

T'es allé au Atwater Club tous les jours, une heure trente par jour, jusqu'à hier. Ton veston serre tes épaules gonflées. L'acide lactique te brûle les muscles.

Papa t'a payé un complet sur mesure chez un tailleur juif remarquablement habile qui tient son atelier dans NDG. Une belle laine brossée, mate, pas trop épaisse, les épaules pas trop pointues, la taille parfaitement cintrée, avec juste ce qu'il faut de pli, quand tu attaches le bouton du bas. La chemise blanche est parfaite, elle aussi, le coton est si fin qu'on peut difficilement en distinguer les fils. Le pantalon épouse bien ton cul bombé, ta cuisse grecque, et sa caresse est presque sensuelle, contre tes jambes, quand tu marches. Maria a tout passé au steamer, hier.

Ils sont trois devant toi. À droite, une femme dans la trentaine, sèche, nerveuse. Tu penses à la conciliation travail-famille, dont tous les cabinets se vantent. Cette femme-là n'a pas la tête ni le corps de quelqu'un qui a eu un enfant. Elle n'en aura probablement pas. Elle fait le bad cop pendant l'entrevue, mais c'est probablement pas par choix : elle a pas l'air de quelqu'un qui a la bonne humeur facile.

À droite, un homme dans la cinquantaine, le visage assez usé, bedonnant. Il est silencieux depuis le début. À vue d'œil, l'homme semble être de ceux qui comptent les années les séparant de la retraite, sans penser que le changement radical de mode de vie qu'implique un départ à la retraite risque d'affecter ses capacités cognitives, peut-être même de déclencher son alzheimer qui se préparait en latence, subrepticement. Cesser de travailler, c'est mourir, monsieur : ne partez pas, si vous tenez à la vie.

Au centre, le grand associé de Skarsgard qui t'a sauvé des griffes du Carabin, au paintball. Sa peau est impeccable, parfaitement lisse, et le fade sur ses tempes est frais et impeccable, probablement le fruit d'une visite chez le barbier le matin même. Son complet est marine, sa cravate, grise. C'est lui qui t'a posé la question. Son ton est candide, depuis le début : il fait le good cop. Demeurer professionnel, malgré l'apparence de familiarité.

*Pourquoi vous avez voulu devenir avocat?*

Tu t'es posé la question plusieurs fois, quand tu répétais pour les entrevues, dans ta chambre. Tu t'es donné quelques possibilités de réponse, pour cette question comme pour les autres : tu voulais pas avoir des réponses figées, tu voulais avoir l'air d'inventer, paraître spontané.

*Pourquoi tu veux faire ça?*

Tu revois Aurélie qui te pose la question, dans la Wrangler.

Les réponses que t'as préparées suggèrent chez toi une fascination pour le fonctionnement de l'État de droit, un attachement à la justice, un goût du défi et un sens du devoir.

L'immense baie vitrée derrière les trois associés donne une vue magnifique sur une partie du Vieux-Port, de la Rive-Sud, et du centre-ville. Le ciel est parfaitement bleu pâle, dégradé, glacial.

Tu regardes ta Tissot. La trotteuse avance régulièrement. En te concentrant, tu peux sentir la vibration presque imperceptible du moteur contre ton poignet.

- J'ai eu une drôle de réflexion, récemment, en allant faire réparer ma montre.

Tu leur montres ton poignet. Les trois associés font oui de la tête. T'es en train de diverger du plan établi, et tu sens que ce que tu dis pourrait être vraiment mal interprété, mais quelque chose en toi dit fuck off.

- C'est un cadeau de mon père. Il me l'a donnée quand j'ai été accepté au bacc. Une Tissot vintage, mécanique, pré-crise du quartz, années soixante. Elle appartenait à mon grand-père. La plupart des montres qu'on vend aujourd'hui, elles fonctionnent au quartz. C'est moins cher, c'est très précis, pis y a beaucoup moins de pièces que sur les montres mécaniques. C'est même moins précis que le quartz, en fait, les montres mécaniques. Parce que ça repose sur un assemblage de beaucoup, beaucoup de petits rouages pis de ressorts, donc plus de risque d'erreurs. Ça fait que comme je disais, ma montre a arrêté de fonctionner, y a pas longtemps. Je suis allé la faire réparer chez un joaillier, qui m'a dit que c'était presque rien, qu'y avait juste un rouage, un tout petit rouage à remplacer. Elle fonctionne comme neuve, maintenant.

Le grand associé du milieu est demeuré neutre. Le vieux a froncé les sourcils. La sèche semble perplexe.

- Je me suis dit que c'était fascinant, le pouvoir pis l'importance que ça avait, le petit rouage que le joaillier a changé. Ça faisait à peu près trois millimètres de large. Ça avait l'air de rien, sorti de la montre : juste un petit bout de métal. Ça aurait pu être un bout de scrap. Des pièces comme ça, y en a des dizaines, dans une seule montre. Chacune doit faire sa job comme faut, sinon la montre arrête de fonctionner. Même si c'est répétitif, pis que ça peut sembler inutile, ou futile.

Tu prends une gorgée du grand verre de San Pellegrino posé devant toi.

- Je sais que c'est pas nécessairement un party, la vie d'avocat en grand cabinet. Qu'une grosse partie du travail, c'est de chercher, justement, le diable dans les détails. D'être un spécialiste de l'horlogerie du fine print, jusqu'à devenir fou, des fois. Pis je sais que ça peut donner l'impression d'être inutile, comme à peu près tout ce qu'on peut faire, dans' vie. Mais des fois, mettre plein d'affaires qui ont l'air inutiles ensemble, ça finit par construire une machine qui fonctionne. Pis pendant qu'on est concentré sur l'infiniment petit, la vie prend un genre de sens. J'aime ça, les choses concrètes, mesurables, empiriques. Analyser un contrat, comprendre ce que le contrat dit, déterminer si y'a été brisé, expliquer pourquoi. Être payé pour mon travail, acheter des choses, payer des impôts. Pendant que je fais ça, j'ai l'impression d'avoir un genre de grip sur la vie.

Le vieux a rouvert ton dossier, regardé ton CV. La sèche pose ses lunettes sur la table. Le grand du milieu ouvre la bouche pour parler, après un court silence, mais tu ajoutes, en le coupant :

- Pis évidemment, je veux pouvoir payer une Tissot mécanique à mon fils, un jour. On va pas se mentir, j'aime le cash.

Le grand semble réprimer un sourire.

- Vos deuxièmes entrevues se sont bien déroulées?

Détente. Trouver la détente. Respirer calmement. Oublier le fait que cette rencontre n'a absolument aucun sens, dans le déroulement de la course au stage : c'est pas une troisième entrevue, officiellement, et les recruteurs savent comme toi que tu peux pas te faire offrir un stage maintenant. C'est presque illégal, de se rencontrer à ce stade-ci. C'est illégal et ça joue avec ta tête.

*Peux-tu me fucking dire ce que tu veux de moi ce soir?*

- Je pensais qu'on était pas ici pour parler de droit, tu dis, légèrement incisif.

Le grand gars de Skarsgard sourit. T'entres dans des eaux dangereuses, à tester son humour comme ça. Il dit :

- Je vous le demande parce que je présume que vous devez pas avoir beaucoup de temps pour d'autres hobbys que la course au stage, en ce moment.

T'avais jamais fumé le cigare, avant. T'es étonné du nombre de bouffées requises pour aspirer. Étonné du goût, aussi, très parfumé : cerise, celui-ci. T'as probablement l'air imbécile. Personne a jamais fumé, chez vous : t'as pas les réflexes d'usage.

La serveuse arrive avec vos scotches.

- Deux Glenfarclas 40 ans pour messieurs.

Glenfarclas 40 ans. Ton père aime ça. Si tu te souviens bien, c'est autour de six cent cinquante, à la SAQ. Le gars de Skarsgard t'a pas laissé regarder le menu, mais ça doit se détailler au moins cent dollars le verre, ici.

- Effectivement, tu réponds, je suis dans le jus.
- On n'est pas les seuls à être fascinés par votre cas, donc.
- « Fascinés. »

Tu sens ton cellulaire vibrer, sur ta cuisse. Tu arrives à réprimer la réaction spontanée, pavlovienne, de plonger ta main dans ta poche. T'aurais dû mettre le silencieux. Et en même temps, tu sais que c'est probablement quelque chose de très important qui vient de rentrer.

- C'est le terme qui décrit le mieux l'impression que vous provoquez, oui. Santé.

Vous trinquez.

- J'aurais pas pensé.
- Pis c'est certain que c'est absolument pas objectif de ma part, mais j'ai toujours une sympathie naturelle pour les membres de la section A.
- C'est juste une lettre.

- Je sais, mais ça me rend nostalgique, ça me ramène tout de suite au bacc. On était très forts, les A, dans ma promo. Y avait Mélanie Joly, dans ma section, entre autres.

Elle devait être insupportable, pendant la course au stage, elle. Intéressée, et égoïste, et sauvage. Comme toi. T'as beaucoup de respect pour les arrivistes : ils get things done.

- Vous parliez de votre amour pour les choses mesurables, concrètes, à la première entrevue, j'ai trouvé ça intéressant.
- Oui.
- Mais je me suis demandé... Pourquoi est-ce que ce gars-là est pas en médecine, justement, comme ses parents? Il a baigné là-dedans toute ta jeunesse.

Tu trempes tes lèvres dans le Glencairn contenant ton scotch. T'as goûté à du Glenfarclas 16 à quelques reprises, et t'avais apprécié; le 40 ans est semblable, mais incroyablement long en bouche, et riche. Liquoreux, presque. C'est incroyable. Peut-être d'autant plus que tu sais que ça coûte la peau du cul.

- J'aime pas trop me salir les mains, tu dis.
- Oh, vous savez qu'on se salit les mains quand même pas mal, en cabinet, des fois.

Des images de Raphaëlle et de Cousin Fred qui courent ensemble, qui s'embrassent sur la plage, surgissent dans ta tête. Les deux mots interprétés par Cousin Fred, pour le compte d'Assurance Métro : *pleine conscience.*

- J'ai peur du sang, en fait, pour être précis.
- Ça, c'est merveilleusement ironique.

Le gars de Skarsgard éclate de rire.

- Je sais. On rit de moi chaque fois. Pour répondre à la question initiale, oui, mes deuxièmes se sont bien déroulées. J'ai vu Alberti Johnson, Lalime, Dascal Mackenzie, Guérin Lapierre, Roy Burns.
- Pis nous.
- Pis vous. Évidemment.

Vous tirez chacun sur vos cigares. Une suspension. La fumée vient s'installer en filets, au-dessus de vous, presque immobile.

- Y en a qui m'intéressent plus que d'autres, t'ajoutes.

Silence. Poursuivre, pour éviter un vide :

- Lalime, j'ai eu une invitation pour une troisième. Mais… j'ai entendu dire que la business va pas très bien.

Il fait oui de la tête, posément.

- Donc évidemment je serais moins tenté d'aller là.

Tu reprends une infime gorgée de Glenfarclas 40. Pêche-t-il des informations, ou essaie-t-il simplement de voir si t'es du genre à te péter les bretelles?

- J'ai eu une invitation de Dascal Mackenzie à un cock-tail, demain.

Il n'y a pas de troisième entrevue, à proprement parler : la troisième entrevue est une activité sociale faussement informelle, où on parle de tout sauf de droit. Cousin Fred avait eu droit à un cours de cuisine japonaise, avec Alberti Johnson. Les voies du recrutement sont insondables.

- Dascal Mackenzie est un très bon cabinet, le gars de Skarsgard dit. Plusieurs bureaux, présence internationale. Fait partie des Seven Sisters. Tu dois être flatté.

Tu?

- Évidemment que je suis flatté.
- Il y a une autre chose qui m'a fait tiquer, dans ton dossier. En fait, je dirais que c'est à peu près la seule chose qui fait que ton dossier me semble pas parfait.
- C'est quoi?
- Le volleyball. Je trouve que c'est du gaspillage qu'un gars de ta shape pis de ton talent ait abandonné ça.
- J'ai pensé que ce serait trop, le volleyball, avec les études pis la course au stage.
- Au contraire, je pense que c'est peut-être mieux pour la santé mentale de s'aérer l'esprit en s'investissant dans autre chose.

*La santé mentale.* Tu te demandes à quel point ce gars pourrait être renseigné. Évidemment qu'ils engageront pas un gars qui a dû se mettre sur les antidépresseurs parce qu'il arrivait pas à tenir la pression. Un froid, à la racine de tes dents, ta tête qui s'allège : la fumée, l'alcool, la terreur.

- Je ferais les choses autrement, si c'était à refaire, tu dis. Oui.

Il tire encore sur son cigare, finit son scotch, dit en crachant de la fumée :

- Mais t'es mieux de te concentrer sur l'avenir.

Il a planté ses yeux dans les tiens.

- Est-ce qu'on te compte parmi nous, demain soir?

Moment d'angoisse, à nouveau. Sensation de pas avoir suivi la puck. Quand tu réalises que tu t'es pointé au mauvais endroit pour un rendez-vous, ou que t'as négligé une responsabilité.

- Où?
- Regarde ton téléphone.

C'est un courriel qui est entré, quand ton téléphone a vibré, il y a quelques minutes. Une invitation au Toqué, de la part de Skarsgard Morgan, à dix-neuf heures, précisément l'heure à laquelle Dascal Mackenzie voulait te voir, et t'as pas le don d'ubiquité. Les cabinets *savent* : ils font ça précisément pour vous baiser, vous forcer à choisir. Seulement, ça vous force à mettre vos œufs dans le même panier, au risque de tout perdre. Il dit :

- Qu'est-ce que t'en dis?

Tu dois faire un calcul rapide. Ça surchauffe, dans ta tête, et ton cœur se met à pomper : c'est une décision majeure, une décision qui pourrait affecter plusieurs années de ta vie, voire toute ta vie, et faut que tu choisisses là, maintenant, en un temps qui se calcule en secondes.

Dascal Mackenzie est plus gros, ça travaille surtout en anglais, la paie est meilleure, le bonus de signature aussi. Tu auras trois mille de moins à la signature chez Skarsgard Morgan, à peu près cinq mille de moins sur ta paie de stage, mais ils travaillent en français, ce que tu préfères, et leur taux de rétention est quelque chose comme soixante pour cent, contre environ vingt-cinq pour cent pour Dascal Mackenzie.

Mais tout ça, c'est si t'es sélectionné. On a déjà vu des étudiants prestigieux se retrouver le bec à l'eau, même après s'être fait lécher le cul par des recruteurs. Tu dis :

- Pourquoi vous avez tenu à me rencontrer entre la deuxième et la troisième? Vous devez avoir une semaine quand même chargée.
- J'ai toujours des semaines chargées. Tu peux me tutoyer, en passant.
- Okay.

Il éteint son cigare dans le cendrier sur pied qui vous sépare. Il dit :

- Répondre à ta question, ce serait une infraction flagrante à l'entente de recrutement.

Tu fais oui de la tête en plissant des yeux. Son air est indéchiffrable.

- Pis je préfère toujours respecter les règles.

- Si vous êtes ici, c'est que vous appartenez à l'élite de notre société.

Le fif péquiste a dit ça en vous voyant arriver, toi et la provinciale sportive. Il tirait sur une vapoteuse, juste devant le Toqué.

- En tout cas, la section A est bien représentée, il poursuit. L'élite de notre société.

Il a répété ça avec un sourire satisfait. T'as croisé la provinciale sportive sur la rue, et vous vous êtes bien rendu compte que vous alliez au même endroit : vous étiez à la fois rassurés de voir un visage familier, et indisposés de devoir ménager votre soif de sang, par politesse, tous les deux. La provinciale sportive a un tailleur noir, sobre et très bien coupé. Elle a l'air de sortir de chez la coiffeuse, aussi, et porte un peu de maquillage, ce qu'elle fait jamais, à l'université. Elle est pas mal, comme ça. Belle et crédible. Réussi.

Le fif péquiste a amélioré sa garde-robe depuis le début du bacc, lui aussi. Il a lâché les chemises à motifs et les pantalons de hipster aux couleurs terreuses; il s'est converti au noir et blanc. Son look est un peu plus stylé que le tien : son veston vient probablement de chez Dubuc. Ça passe, pour un homo.

C'était un peu le chaos, aujourd'hui, à l'école. Toute la semaine, on a pu voir les corps tomber : de jour en jour, de moins en moins d'étudiants se pointaient suit up pour les cours. Restait que les happy few. *L'élite de notre société.*

T'as emprunté un corridor moins fréquenté pour te rendre à ta voiture, celui-là précisément où se trouve une toilette pour handicapés isolée. Une rare oasis d'intimité que tu connais bien, pour l'avoir fréquentée à la session d'hiver, il y a un an. T'as entendu un bruit étrange qui t'a attiré, malgré toi. En t'approchant doucement, sur la pointe des pieds, et en collant ton oreille sur le métal froid de la porte, t'as perçu des râlements gutturaux, des sanglots, des coups de poing frappés au mur. Même si t'avais peur d'être en retard pour le souper, t'as attendu devant la porte. Longtemps. Presque dix minutes, selon ta Tissot.

C'est l'Italien du West Island qui en est sorti. Il portait des jeans et un t-shirt. Ça t'a fait sourire.

*L'élite de notre société.*

- Calme-toi les nerfs avec ton élite, la provinciale sportive dit.
- Je citais le doyen, à la soirée d'orientation. Y'avait dit ça.
- J'ai dû libérer ben des souvenirs inutiles pour faire de la place au reste, depuis le temps, elle dit.

En entrant dans le resto, tu trouves les trois associés de Skarsgard Morgan assis ensemble à une table de six.

- What the fuck? Tu dis. Ils en prennent combien, des stagiaires, Skarsgard?
- Aucune idée, le fif péquiste dit. Pour?

Tu pointes la table.

- Ils voient peut-être le monde en plus petits groupes, il dit.
- Ouais, la provinciale sportive dit, clairement pas convaincue.

La sèche vous envoie la main.

- Bon, ben au moins on est les trois ensemble, la provinciale sportive ajoute.
- Bonne chance, le fif péquiste dit.
- Bonne chance, tu répètes.

Vous vous regardez tous les trois, prenez une grande inspiration, et allez vous asseoir avec eux. Une bouteille de blanc est entamée, sur la table. Les associés vous accueillent chaleureusement.

T'as pensé à manger, avant. Toujours éviter d'avoir l'air affamé, dans ces soupers-là. La faim est une affaire de pauvres.

Les trois associés sont des as du small talk. On passe des multiples activités de sport extrême de la provinciale sportive (elle fait du kitesurfing de compétition, aussi, ça tu savais pas) à l'implication politique du fif péquiste (le fait de *faire* de la politique semble être plus important que les positions défendues – aucune discussion n'a porté sur les idéaux, que sur la mécanique, c'est fascinant), à ton implication avec Stop Suicide, au volleyball. Vous parlez théâtre. Opéra. Canadiens. Alouettes. Voyage. Cuisine. Art contemporain. Voitures. Vélo.

Tu voudrais que les trois associés se lèvent, pour débriefer avec tes collègues : qu'est-ce qu'ils veulent, au juste, ces associés? Pourquoi est-ce qu'on parle de tout sauf de job, et en quoi sont-ils censés aimer l'un de nous plus que les autres, sur la simple base d'un souper au Toqué?

Une bonne partie du travail d'avocat, c'est d'être intéressant dans un souper, t'aurait dit Cousin Fred. Celui de l'an dernier, du moins.

T'essaies de calculer les verres de vin qui t'ont été versés. La provinciale sportive refuse tout remplissage de son verre passé le deuxième; le fif, lui, se met à parler un peu plus fort à mesure que la soirée avance, mais fait rire les associés d'autant plus : quitte ou double.

La soirée se termine après vingt-trois heures, avec les associés qui vous remettent chacun un paquet-cadeau composé de billets pour l'Impact, de billets de théâtre, et d'un casque d'écoute Bluetooth de bonne qualité (*on avait des surplus dans le budget de recrutement, on a préféré vous en faire profiter*).

Vous avez pas parlé de droit ni d'école, ni même souf-
flé le nom de Skarsgard Morgan une seule fois.

Vous vous retrouvez tous les trois, toi, le fif et la provinciale sportive, un peu soûls et assez perplexes de ce
que vient de se dérouler, sur la place Jean-Paul-Riopelle.
Le cercle de feu vient illuminer la fontaine de la place,
comme vous étiez sur le point de vous séparer. Vous
regardez les flammes danser un moment, en silence.

- J'ai l'impression d'avoir assisté à l'apocalypse, cette
semaine, tu dis.

Le bourdonnement de l'autoroute Ville-Marie. Une
sirène. Vos haleines qui condensent. Les jambes de la
provinciale sportive, longues et musclées, sous ses bas
collants.

- Tu y as pas assisté, le fif péquiste corrige. Tu y as
participé.

Il tire sur sa vapoteuse, laisse la fumée s'écouler lentement de sa bouche. Il murmure, avec un filet de voix :

- Si y'en prennent trois, je serais down pour que ce soit
nous trois. On est probablement les moins malades
mentaux de la gang.

La provinciale sportive opine, le regard dans le vide.
*Oui*, tu dirais, si t'avais pas de retenue. *Oui*. Lui et elle
sont probablement les rivaux les moins insupportables :
tu arriverais presque à les aimer, avec le temps.

- Vous savez ce qu'ils disent, sur les coquerelles? tu dis.
- Quoi? le fif péquiste demande.
- Que c'est les coquerelles qui vont survivre à tout. Si y a des inondations. Si y a des ères glaciaires. Si un astéroïde frappe la Terre, qu'y a une guerre nucléaire, que la planète se réchauffe. C'est les coquerelles qui survivent, au final.

Le regard de la provinciale sportive a revêtu quelque chose de méfiant, de presque inquiet. T'as l'impression que tu lui fais peur, maintenant. Elle dit :

- Est-ce que t'es content d'être ici?
- Je serai content quand j'aurai le poste.

T'avais pas touché à tes Imovane depuis deux semaines. Tu dormais mieux. T'as pris quelques onces du Glenfarclas 40 ans de Papa, dans le minibar, pour tenter de t'assommer. Ça a pas fonctionné. T'as pris un premier Imovane. Après quarante minutes à fixer le plafond de ta chambre, t'as sorti ton MacBook pour te masturber. Ça t'a pas détendu assez pour t'endormir. Tu t'es résigné à prendre un deuxième Imovane, te masturber une deuxième fois. Tu estimes que t'as réussi à t'endormir vers minuit trente. À cinq heures, t'avais les yeux grands ouverts, même si tu te sentais un peu étourdi.

Cinq heures trente, maintenant. T'as accepté que plus rien se passerait dans le domaine du sommeil ce matin. T'as paqueté ton sac; tu le lances dans ta Wrangler, tu démarres.

À cette heure, c'est facile de se parker au centre-ville. Le ciel rosit, au-dessus du mont Royal. T'arrives à l'ouverture du Atwater Club, qui est presque désert. Il y a un seul autre membre sur place. Un vieux, un prof de littérature à Marianopolis qui va souvent parler de philosophie à la radio. Il a toujours l'air mourant, mais de bonne humeur.

Burpees, burpees avec tractions, combos de tractions, box jumps, toes to bar, rotations sur barre, planches, push-ups sur anneaux. Ta posture est impeccable. T'es parfaitement conscient de l'effort à faire déployer à tes abdominaux, à tes lombaires. Ta colonne se place juste là où elle devrait l'être. Tu t'étires tranquillement, avec attention, en toute détente, pendant une bonne vingtaine de minutes.

Tu prends une douche interminable. Tu passes de longues minutes à te raser avec attention, puis à scruter ton corps presque nu, dans le miroir du vestiaire. Il est exactement comme tu l'as toujours voulu : la définition des abdominaux, tes obliques qui plongent en saillie vers ton pubis, les veines saillantes sur les biceps et les avant-bras, l'arrondi de tes épaules et le V des triceps qui s'y accrochent, le bas de tes quadriceps et le haut de tes mollets qui rebondissent sur tes genoux. Tu sens tes muscles pulser sous ta peau, sur le chemin du retour. Tu aimes la vue des veines qui apparaissent, se déforment sur ton avant-bras quand tu manipules le volant de la Wrangler.

Tu reviens à la maison à temps pour déjeuner avec Papa et Maman. Tu prépares des œufs et des toasts avec un soin maniaque. Tu leur sers le café, tu défais la table.

Maman et Papa te laissent pour partir travailler. Debout au milieu de la cuisine, tu écoutes, immobile, tous les bruits de la maison : le soupir constant du frigo, le grondement de l'aération, le sifflement du vent contre les fenêtres. Tu ressens tout.

Tu descends à la salle de lavage. Tu enfiles le complet du tailleur juif de NDG, avec ta cravate noire mince. Tu te regardes très longtemps dans le miroir. Maria avait raison : vous êtes presque pareils, maintenant, toi et Papa.

Tu te concentres sur ta respiration, pour essayer de calmer ton diaphragme.

Ta Tissot indique huit heures trente. Le coup de feu de départ a été tiré. L'heure est inscrite dans l'entente de recrutement : à partir de huit heures trente, les cabinets ont le droit d'appeler les étudiants pour leur offrir un stage.

Tu remontes à la cuisine. Ton téléphone est dans ta poche de pantalon. Il repose contre ta cuisse droite. Il est sur le vibreur. Tu sais qu'il est sur le vibreur. Il faut arrêter de le regarder toutes les trente secondes : tu le sentiras, quand il sonnera. Tu penses à ce que tu feras si tu as une offre. Tu penses à ce que tu feras si t'en as pas.

Peut-être qu'ils appellent pas les gens à huit heures trente précisément. Ils ont jusqu'à dix-sept heures. Ça pourrait survenir à tout moment. Il faudrait te distraire, d'ici la fin de la journée. Ne déclarer forfait qu'à dix-sept heures, si t'as reçu aucun téléphone rendu là.

T'as oublié comment te distraire depuis très longtemps.

Tu te demandes si tu vas aller à tes cours, aujourd'hui.

Tu penses pas que tu pourrais te concentrer aujourd'hui, même sur le Modafinil.

On sonne à la porte. Tu vas ouvrir en gardant les yeux sur ton téléphone. Ne pas manquer d'appel.

C'est un livreur. Le paquet est pour toi. La dernière fois que t'as reçu un paquet à ton nom, à ta porte, comme ça, remonte à plus d'un an. C'était ton exit bag.

Tu poses le paquet sur la table de la salle à manger. C'est un panier emballé avec de la cellophane.

Il contient un iPad, une bouteille de Veuve Clicquot et un stylo Montblanc. La boîte du iPad, comme celle de tous les produits Apple, est remarquable, solide, faite d'un carton épais, de bonne qualité, soyeux au toucher. Tu l'ouvres, pour être certain : c'est pas du toc, c'est bien un iPad Air, 9,7 pouces. Le métal est froid, l'écran, parfaitement propre.

La bouteille de champagne est glacée, à cause de l'air hivernal. L'eau commence à se condenser sur le verre.

Le stylo est lourd, robuste. Plus que tout autre stylo que tu as manipulé avant.

Il y a aussi une carte.

La carte t'invite, si tu le veux bien, à devenir stagiaire chez Skarsgard Morgan. Il faudra, pour ce faire, passer au bureau du cabinet avec ton Montblanc, pour signer ton contrat de travail.

Tu ouvres ton téléphone, tu vas dans tes messages textes. Tu commences à rédiger un texto annonçant ta sélection. Tu t'arrêtes quand tu te rends compte que tu sais pas à qui l'envoyer.

Tu fais sauter la bouteille de Veuve Clicquot. Le bouchon vient frapper le plafond de la salle à manger. Un coulis de champagne lèche la bouteille, se répand sur le tapis. Tu bois une gorgée.

Un frisson te parcourt le dos. Tu penses à ce qui s'en vient. Il faudra faire bonne figure au stage. Il faudra réussir l'examen du Barreau. Il faudra te faire engager par Skarsgard Morgan après le Barreau. Il faudra travailler plus fort encore pour devenir associé. Il faudra être le meilleur.

Ta Tissot indique huit heures quarante-neuf.

Réjouis-toi.

## Remerciements

L'auteur tient à remercier Emmanuelle Brault, Jean-François Dubé et François Groleau pour les vérifications factuelles et pour leur apport à l'écriture du roman.

# Les livres de Ta Mère

## COLLECTION POP-EN-STOCK

Achevé d'imprimer
en mai deux mille dix-huit, sur les presses
de l'imprimerie Gauvin, Gatineau, Québec